日本型組織存続の条件

山本七平

さくら舎

◎目次

第一章　日本の存亡、持続か瓦解か

第二章　日本型リーダーの限界

第三章　日本の「当たり前」文化の構造

第四章 切腹と石油——日本の潜在力

日本型組織　存続の条件

第一章　日本の存亡、持続か瓦解か

ヨーロッパ的vs.アラブ的

私のことを評論家と言われるとちょっと困るんで、実を申しますと、私は中小企業の経営者で、潰《つぶ》れたら困ると、年中そう思っている一人です。

その間いろいろな仕事も頼まれて、先日もちょっとイスタンブールに行って来ました。そこには中東協力センターというのがあって、これは通産省の外郭《がいかく》団体のようなものですが、中東二十六ヵ国、そこで働いているさまざまな企業の人たちが集まり、これじゃ困るとか、あれじゃ困るとか、政府に要望する、いわゆる官民合同現地会議というわけです。

そこではみなさん、外務省も控えているため、なかなか本音《ほんね》はおっしゃらない。うっかりしたことを言って外交問題になるとたいへんですから、みんななかなか本音はおっしゃらない。ところが、後で自由にいろいろ話を聞きますと、そんなことだろうなと思ったことが出て来るわけです。

こういうことはズバズバ言っていいか私もよくわかりませんが、現地で働いている方々で、いわゆるアラブ圏、特にサウジアラビアですが、この国が近代化できて産業国家になり得ると信じる人は一人もいないわけです。

これは信じないのが当たり前ですが、それでターン・キー方式とか、スイッチオン方式とかをとりたがる。簡単に言いますと、工場が出来、キーを回したところで引き渡す。あるいはスイッチを入れて動いたところで代金をくださいと言って、ここで帰って来ちゃって、それで一切縁《えん》を断ちたいというのが本音です。

もっともあんまり本音を表に出すといけないんで、いろいろなことをやっていますが、実際の本音はそうであって、極端な言い方をしますと、もう二十年くらい経てば、膨大《ぼうだい》なドルで買った工場群は全部スクラップになって、蜘蛛《くも》の巣が張っているんじゃないかと思われます。

「これはかつて建てた工場です」という遺跡みたいになり、それが観光資源になるのが落ちじゃないかという感じすらします。

一体なぜこういう問題が出るかというのはたいへんおもしろい問題でして、同時にこれは極端な例ですが、われわれもある程度持っている問題です。

これを見て非常に強く感じるのは、第一に、産業資本家がいないということです。

産業資本家がおりませんと、まことにおもしろいんですが、山のようにドルがあって最新式の機械を購入しても実際には何も出来ない、もしやるなら全部外国人を雇わないと出来ないだろうということになるわけです。

もうひとつは、そういう産業資本家が育たない社会構造と、これを変え得ない社会。しかし実際はアメリカその他にずいぶん留学生が行っているので、一応近代経営学は学んで来ているわけですが、これが実際現地で利用出来ない。なぜ利用出来ないかと言いますと、イスラムという社会の社会構造と、そのアメリカ的な組織とに、関係がないからです。

これはたいへん大きな問題でして、だいたいヨーロッパには、ヨーロッパ的な組織というものが出来て来たわけですが、これはヨーロッパ的な社会構造を基にして出来ていて、この二つの間には有機的な関連がありますから、組織が組織として動き得ます。けれども、この二つの間に関連がないと、実際に何も出来ない、そういう学問を学んで来ても一向に役に立たない、ということになるわけです。

このいわゆる二重構造みたいなものが極端な形で出ているわけで、これはある意味においてわれわれも持っている問題じゃないでしょうか。

末期的症状でも千年生き延びる民族

いわゆる日本の伝統的な社会構造と、それから西欧的な組織と、この間に有機的な関連がない。と同時に、日本ではある意味では関連づけ得ると、こういうおもしろい状態にわれわれもあるのではないか。

このまま行ったら、アラブは石油が出終わったらお終《しま》いだろうと。これは誰でも予感していることです。予感していても、あんまりそういうことを言うと商売上差し支えがありますから言わないだけで、なるべく早くプラントその他を売りこんで、相手のドルをいただいて、帰って来ちゃいたい。これはいろんな人に聞いてみますと、実際の本音です。これはたいへんに考えさせられた問題です。

社会構造と組織の乖離《かいり》と申しますか、二つが有機的につながらない場合、極端になると実際には何も出来ない。これはいかにドルがあろうと、どれだけ立派な最新式の機械を輸入しようと意味がないんです。

日本は明治以来、ドルが余ったというのは最近のことで、ドルがないため、もっぱら借金で賄《まかな》ってきたわけですが、それでも近代化というものは成り立った。アラブの人は文字通り現金でなんでも買えますが、それでいて何も出来ない。たいへんにおもしろい問題です。これから何十年か経って石油がなくなったら、どうなるか、また遊牧民に戻るのか、こういう皮肉な言い方も出て来るわけです。

さて、そんな会議があった最中に、私はイスタンブールにおりました。これは東ローマ帝国のかつての首府でして、今はトルコ領で、コンスタンティノポリスと言われた町です。この辺の歴史には興味があり、昔の遺跡とかその歴史との関連とかを調べながら、町の中をブラブラ歩いていますと、非常に不思議なことを感ずるんですね。

というのは、イギリス病（注：この講演時の一九七七年頃、イギリスに見られた停滞現象）とかフランス病、アメリカ病とか、ベトナム戦争（注：一九六四－七五年）の頃言われましたが、ああいうふうになりますと、日本ではすぐ崩壊するんじゃないかと、錯覚《さっかく》を抱くわけです。

これはマスコミにも責任があるとは思いますが、こういう発想をわれわれはとりやすい。ところがイスタンブールという町は東ローマ帝国の首府だったわけですが、ローマ病という言葉があるかどうかわかりませんが、まことにひどい混乱状態に四世紀頃なっております。これは当時の記録を探ってみて、その後を探ると驚くべきものです。テオドラという有名な女帝がいますが、これはなんとストリップガールの出身で、それがいつの間にか皇后になっています。

そうかと思うと、戦車競技場で、戦車といっても馬で引っぱるやつで競馬みたいなことをやり、これに賭けをやって、ひとつのファンのようなグループが出来、これが政党みたいになると、両方で年中乱闘をやる。

そうかと思うと、つまらない、われわれから見るとはなはだ馬鹿馬鹿しい宗教論争というか、今で言うイデオロギー論争がはじまり、これがまた殺し合いをやると、暴民と一緒になって、大暴動を起こす。そのために皇帝が亡命しようと決心をした、なんていう事件は一回や二回じゃないんです。

これはまことに末期的症状でして、こんな状態になったらすぐに滅びてしまうだろうと思えるわけですが、それから千年生き延びているんです。

一体これは何だろうという気がするんですが、そういう状態になっても、その一国、その一民族はなかなか滅亡しないこともあるんです。

恐るべきローマの復元力

これを見ていくとおもしろいことに気づくんですが、いわゆるローマというのは自分でひとつの組織を作っていった。これは社会構造並びにローマ的伝統というものと組織というものが、実は有機的関連を持っているわけです。

彼らは誰の真似をしたのでもなく、自分でほぼ作り出していった。作り出していきましたから、ローマは一日にしてならず、なんて言葉があるわけですが、それでいよいようまくいかなくなっても、ローマは一日にして滅びずで、今にも滅びそうな状態のものを千年くらい平気で保っています。

イギリスとかフランス、あるいはイタリア、あるいはアメリカですが、これを見ているとちょっと同じことを感じます。

少し前ですが、アメリカの復元力（注：混迷と試行錯誤を経て繁栄をつかむ）という言葉が出て来ました。今にも崩壊しそうなことを言っていると、そうならないらしい、だからあれは復元力があるなんていう言い方になるんですが、こういう言い方をしますと、ローマは恐るべき復元力を持っている。もうだめかと思うとちゃんと立ち直ってしまう。またひどくなる、また立ち直る。これを千年繰り返しているわけですが、それで平気で持っているんです。

ですからイギリス病なんて日本で簡単に申しますが、私はあのまま千年持っても不思議じゃないという気もするわけです。どこかでまたバランスを回復し得る。すなわち自分の伝統的な規範およびその文化構造、それからその国の組織というものが非常に有機的な関連を持って一体化しているからです。これは自分で作り上げたものですから、自分で舵《かじ》がとれるという面があるわけです。

ところがそういったひとつの組織、あるいはその他を輸入した場合、たとえば極端な例を言うと、アラブのような場合ですが、おそらく二十年持たないいんじゃないか、ということも言えるわけです。

腐っても鯛のトルコの歴史が教えること

一体、民族の存亡というか、どれだけの持続力を持っているかというのは、自己の伝統的発想、およびその文化様式の上に、自己の組織というものを自ら築いている場合は非常に基礎がしっかりしていますから、潰れそうに見えて潰れません。

一方、これとは逆に外からいろんなものを輸入して、うまく形を作ったというものは急膨張するということはあり得るでしょうけれども、根がないので非常に簡単に崩壊してしまうんじゃないかとも考えられるわけです。

したがって今われわれがいちばん考えねばならないのは、一体どの点であろうかと考えた場合に、日本も明治以来外国のいろんな組織、それから近代産業設備、それを輸入してやって来たわけですが、それが一世紀ほど経つと、あらゆる問題が出て来ているであろうと思われます。そこで、もしわれわれが考えるべきことがあるとすれば、自ら持っている社会的構造についてです。

つまり組織ではなく、構造の話ですが、その構造の中から自分たちの有機的な組織をどうやって作り出すかと、おそらくそういう問題になるのではないかと考えたわけです。

これは歴史の実験において常に出て来る問題であろうと思います。東ローマ帝国はやがて衰え、トルコに滅ぼされた。トルコは実際は中東一帯を全部占領して、北アフリカ、今のアラブ圏というのは全部トルコの領土だった。そしてウィーンまで攻め上がった膨張期があるわけですが、これが実に衰退期に入ったローマ帝国のような寿命は持ち得なかった。六百年ほどで、いとも簡単に瓦解《がかい》しているわけです。これはなぜかというのも、たいへんにおもしろい問題です。

一方は腐っても鯛《たい》みたいに、いつまで経っても存続し、一方は急に膨張したけれども、きわめて簡単に瓦解してしまう。

この違いはどこから出るかということですが、これは現地でいろいろ調べてみますと、トルコはあまり伝統的文化のない中央アジアの民族だった。それがイスラム教を取り入れ、次に東ローマ帝国を滅ぼしたのはいいんですが、この体制をそのまま真似しました。他に自分の新しい体制を作り得る能力がなかったので、これをそのまま真似して、この二つが固定して動けなくなってしまいました。

それ以後ずっとトルコの歴史を見ていますと、基本的な改革は何ひとつやっていませんし、固定したままで瓦解しています。

おそらく彼らが持っていた社会の基本的な構造と、輸入した制度および宗教というのがマッチしなかったんだろうと思います。これがおそらく三竦《さんすく》みのような状態になって、自分を自分でどうすることも出来なくなった。いわゆる復元力を失うと言いますか。これが崩壊期に達すると、実に早いわけで、あっという間に瓦解します。

われわれがどっちの方向を取るか、さまざまな問題を抱えながらも千年持続するか、あるいは急膨張してたちまち瓦解してしまうか、どっちであろうか。

どっちの道を選ぶのかという問題を考えると、否応《いやおう》なくトルコに行くと感じさせられます。その点中東とかヨーロッパはそうでもなく、たいへん便利で、なぜ便利かと申しますと、ちょうど一国家の発生から滅亡までがきちんとあり、遺体を解剖するような形で、どこに病気があったかを見られるからです。

病人を解剖してここがおかしかった、いやここがおかしかったんだろうと見ておくことは、自己診断の上でたいへんに役に立つんじゃないかと思った次第です。

源頼朝が立ち上げた日本株式会社

こういう立場から日本を見ていくと、一体日本のいちばん基本というか、われわれが現在持っているひとつの社会構造ですが、それはいつ頃どのような形で出来たのかと、これをまず探ってみるべきではないかと思われるわけです。

これは明治以降になると探りにくくなります。というのは、明治になって一所懸命欧化主義を取り、ヨーロッパ式のものを取り入れました。これが戦後になるとさらにわからなくなり、アメリカ式のものを取り入れました。

しかし、その前にわれわれの基礎というものがあったはずで、その基礎というのは非常に長い間かかって作り上げたもので、これらの組織が消えてしまってもおそらくこの社会構造は残るであろうと、私はそう思わざるを得ないのですが、これが一体どのような形で出来て来たかを見てみたいと思います。

これはいろんな方向から探求出来ますが、いわゆる精神的な面と、実際的な社会構造の面と、両方から見ていくと、だいたい武家政治のはじまる頃出来たのではないかと思われます。

その前の律令制《りつりょうせい》（注：法律を基本とした政治体制）は中国からの輸入体制だったわけですが、この輸入の体制、輸入の組織というのは見ていきますと、あまりうまくいっておりません。うまくいっていないものを、ここでやり直したわけです。

簡単に言いますと、新社を作ったようなものですが、ここで新しい方式でこれを全部棚上げして、源《みなもとの》頼朝《よりとも》という人間が日本株式会社でもないですが、日本社会の新社を作った。この新社を作った時の原則のようなものが明治維新まで続いているわけです。

ですから日本の社会構造および体制の歴史とは何であるかと言いますと、武家制度という答えを出していいのでは、と思うのであります。

嘉永《かえい》六年（一八五三年）ペリーが来るまでは、これだけの方式でわれわれはやって来た。けっこううまくやっていたわけです。この延長線上にわれわれはいるわけで、これは否定の方法がないわけです。

では一体、頼朝は何をやったんだろうとなりますと、当時の朝廷というものは非常に形式化、組織化して、組織だけは名目的にはきちんと出来ているんですが、実際にこの組織は動いてない。こういう状態であったわけで、それから必要な部分だけを抜き取った形で、鎌倉に新しい政府を作ったわけです。

すべては必要に応じて作っているだけで、不必要なものはありません。彼は形式主義が一切嫌いで、必要なことがあれば必要な組織を作りました。

はじめから組織はこうであらねばならないという発想など一切ありません。ですから武家制度は何かと言いますと、輸入の原則がないということです。でも日本的原則はあったはずで、それは当時のひとつの社会的慣習としてわかっていますから、別に文書にする必要などなかったわけです。

下っ端の北条氏がなぜ百三十年間も日本を統治できたのか

では、いちばんの原則は何であったかと申しますと、たいへんにおもしろいのですが、話し合いということです。

雑訴《ざっそ》決断所などといういろんな役所が後に出来てきて、武者所《むしゃどころ》なども出来ていくわけです。この役所のいちばん大きな仕事というのは、実は民事訴訟の裁定とでも言うべきことです。

当時の争いのほとんどは荘園争い、これが出て来るわけでして、これをちゃんと公平に裁かない限り人望を失います。実際これをやっていたのは北条氏ですが、北条氏というのはまことにおもしろい。約百三十年間日本を統治していたわけで、ずいぶん長い政権ですが、当時の感じから言いますと、これは第四階級です。

簡単に申しますと、天皇、公家、武家と行きますとその陪臣《ばいしん》ですから、これはほんとに下《した》っ端《ぱ》です。したがって何の権威もないわけです。何の権威もないと同時に、彼は伊豆《いず》の小領主でして、そんなにものすごい武力を持っているわけではない。権威もなければ武力もない人間というのが約百三十年間、日本を平和に統治し得たことになります。

このいちばんの原則は何かと言うと、日本的な規範、これに違反することをしないということです。これは簡単に言いますと、当時の人間が常識と考えた通りにやっていたということです。

そのいちばんの原則としているのは、いわゆる基本原理とか基本原則とか名目的な組織とかを一切作らないことです。何か問題があったらどうするか、当事者同士話し合いなさいと言うだけなんです。

荘園争いなど出て来ますと何でもいいから二人出て来て話し合え、おれは口出さないから徹底的に話し合いなさい。話し合いがつくまで話し合いをさせておき、最後に出て来て、どうだ、話し合いは済んだかと。この辺まで煮詰まりましたと言うと、じゃあそう決めようと言う。これだけなんです。

まことに簡単な原則で、これだけでほぼ百三十年間日本を統治していた。そのうち北条時代がうまくいかなくなったのは、いわゆる元寇《げんこう》の役《えき》（注：十三世紀後半における二度の蒙《も》古《こ》襲来）と、この後の論功行賞《ろんこうこうしょう》という点で武士に与えるべき原資がなくなったからです。

これがいちばん大きな理由になるわけですが、こういう事件がなければ、もっと続いたんじゃないか。同時にこの政権が交代して混乱期があるわけですが、結局この原則は崩れていません。

われわれの方式というのはたいへんにおもしろく、話し合い方式と言って、お互いに話し合い、相互関係においてその間を調整する。最後に第三者がそれを認証するという方法になっています。

幕府はあっても日本国に中央政府はなかった

物事を決定する場合のもうひとつの例ですが、幕府がひとつの決断を下す時、どうやるかと言いますと、ちょうど今の稟議制《りんぎせい》（注：下位者が案件を関係者にまわして承認を求め、その後上位者が決裁する仕組み）と同じです。

まず、『太平記』（注：最長の軍記物語）なんかに出て来ますが、京都に攻め上がるべきか否《いな》かということを幕府が論ずると、北条高時《ほうじょうたかとき》（注：鎌倉幕府第十四代執権）は何にも言わないで座っています。象徴みたいなものです。長崎出羽守《ながさきでわのかみ》という執事が司会役になり、みなさん遠慮なく意見を言いなさいと。攻め上がろうか攻め上がるまいか、みんなワイワイ意見を言うわけです。

これがだんだん煮詰まり、総意が決まると、こういうふうに総意が決まりました、じゃあそうしようという方式を取っています。

おもしろいことに、戦国の武将はみんなこの方式を取っており、リーダーがおれはこうやるから、みんなついて来いというやり方は、実は取っていません。

いちばんそういうふうに見られやすい織田信長《おだのぶなが》でも、絶対に意見ははじめに言わない。誰かに言わせる。いろんな人間に言わせる。そのうちに彼の場合は、自分の気に入った意見をとるわけです。自らの発言は絶対にしていません。

徳川家康《とくがわいえやす》になるともっと絶対にしないんで、最後まで何にも言わないわけです。

日本の秩序というのは、内部的争いを決める場合、あくまで相互の話し合いだけと、一切原則を置かない。法律ではこうこうであるからこうであるという裁定は一切下さない。お互いに納得するまで話し合えと言うわけです。

外部的に何かを決める場合は、今言ったような方式で、ワイワイやって総意が決まり、じゃあそれに決めようと、リーダーはそれだけの仕事で、それ以外にリーダーの仕事はないわけです。

日本ではだいたい嘉永六年にペリーが来るまで、ほぼ同じ方式を取りつづけています。同時にいわゆる総合的な組織というものを一切作らなかった。これはたいへんおもしろい特徴でして、徳川時代に日本には中央政府はなかったと。

これはアーネスト・サトウ（注：幕末に通訳として来日したイギリスの外交官）がロンドン・タイムズに投稿した論文の中で言っています。日本を誤解しないようにということで出した論文だと思いますが、そう言っています。

これはわれわれから見ると変で、幕府というものがちゃんとあったじゃないかと言いたくなるわけです。しかし、これをヨーロッパ人、たとえばアーネスト・サトウのような人が見ると、幕府というのは徳川藩の政府なのか、それとも日本の中央政府なのか、一体どっちなんだということを彼は言っているわけです。

これはどっちともとれるんで、そういうことをひとつの組織として決定することをしていないわけです。これが外交的に当時、非常に問題になったわけで、たとえば幕府と条約を結ぶと、その条約というのは実際幕府の領土すなわち天領《てんりょう》にだけ効果があるのか、それとも日本全国に効果があるのか、条約を結んだ相手が一切わからないわけです。

これで騙《だま》されたと言って怒る人間も出て来るわけですが、さすがにアーネスト・サトウはそうは言っていない。

ハリス（注：日米修好通商条約を締結したアメリカ合衆国の外交官）はカンカンになって怒るわけで、これは詐欺《さぎ》だと。お前さん、条約にサインをしておいて、天領しかどうもできないとはどういうわけだということになり、次のようなやりとりが続きます。

こちらは徳川家の政府であると。日本国政府はどこにあるのか。いや上に天皇がいると。天皇は何か権限があるのか。いやあれは権威だけあって実は何の権限もない。じゃあ一体、日本国政府はどこにあるのか。

誰にもわからないですね。向こうもわからなくなりますから、それでアーネスト・サトウは、中央政府はないんだと言うわけです。ヨーロッパ的な組織という発想からすると、日本国には中央政府はなかったわけです。

なぜ日本は近代化に成功したか

これはたいへんにおもしろいことで、それをわれわれは別になんとも不便に感じなかった。これで日本国内に関する限り一向に構わない。こうやったほうがうまくいっていたんで、外交的な問題が起こらない限り、これがだいたい日本的なシステムということになります。

こういうシステム、この上に明治の近代化が乗っかって来たわけです。その前に、日本にはいわゆる小産業資本家が徳川時代に非常にたくさんおり、近代国家になり得るひとつの前提があったわけです。

近代国家へ、現実にやって来た方式は決して西欧的ではないと言えます。よくアラブ人、トルコ人に聞かれますが、どのように近代化したかというのは、彼らが絶えず聞きたがることです。なぜ日本は近代化に成功したのかと。

それを調べようと思うなら、まず近代化する直前の日本の状態を調べなければわかるわけありません。嘉永六年にペリーが来ましたが、嘉永三年頃に日本人はどういう考え方をして、どういう社会にどういう行き方をしていたのか。これが出発点ですから、この出発点を押さえない限りわからないだろうと思います。

アラブ、トルコの方に、調べるならここを調べるのがいちばんいいんだというようなことを申しますが、そうすると一体そこはどうなんだという質問を受けるわけです。一体そこはどうなんだと言われると、この辺の研究は、実は日本ではいちばんやっていないのでよくわかってないという、変な状態も出て来るわけです。

おそらくわれわれは西欧化というようなひとつの建前《たてまえ》、これを取りながらも、実際はこの徳川時代以来のひとつの方式を取って来たんじゃないかと思います。これが日本における建前と本音みたいな形になりますけれども、そうしないと日本の社会は動かなかった。

これはいわゆる伝統的な社会構造です。この上に西欧的な組織というものをある程度参《さん》酌《しゃく》（注：他と比べて参考にする）した。これが日本の行き方です。

ヨーロッパの場合ですと彼らの組織と、彼らの社会構造は同じものでして、これは完全に密着しており、この間は乖離がないわけです。前にちょっとキリシタン史のことで、日本に来たイエズス会の話をしましたが、イエズス会が出来た時に、あれはイグナティウス・デ・ロヨラという人が筆頭発起人になって、モンマルトルの丘で七人の同志が集まります。

モンマルトルの誓約というのをやって、これで一種の宗教法人のような修道会を作ります。これがイエズス会で、まず誓約に基づいていわゆる規約を作る。これは定款《ていかん》ですが、それに基づいて今度は各僧院長の権限、および社規社則のようなものを作る、こういう形で出来ていくわけですが、こういう話をすると会社と同じですねと言われるんですが、これはちょっと発想が逆でして、会社のほうがこちらと同じなのです。

会社というものが出来る前から彼らはこういう方式をとっていました。これは彼らの方式でして、こういう方式で物事をする以外に彼らは方法を知らないわけです。ですから、これが経済と結びつけば会社という形になる。

これは当たり前なんですが、われわれはそういう形ではなく、会社というものはこういう組織にするものだという形で、それを今度は輸入したわけです。

輸入したひとつの組織と日本の伝統的社会構造というのが非常にうまく働く時は、おそらくプラスになるのでしょう。これがおそらく明治というもの、あるいは戦後というものでしょう。社会構造と組織との矛盾《むじゅん》が逆にプラスに作用していったんじゃないのか。

しかし、これがあるところで必ずストップするわけです。逆の面が出て来る。それが大正時代、もしくは今（注：二十世紀後半）の状態ではないかと思います。ここの処理を誤らないことが、おそらくいちばんむずかしい問題じゃないかと考える次第です。

ですからこれをどうするか。われわれに課せられているひとつの問題であり、単に民族全般の問題ではなく、ある意味で会社もそれがあるはずです。

ショックだった大雑誌社「改造」の倒産

人様のことをとやかく言うのはなんですが、私が出版界に入ってすぐの頃、ショックを受けるような大きな倒産がありました。これは戦後新聞にも載りましたからご記憶の方もあろうし、戦前のことにくわしい方は、「改造」という雑誌をご存じだろうと思います。

戦前の「改造」の権威はたいへんなものでして、日本一の大雑誌で、改造の巻頭論文は日本を動かすと、今の新聞の社説の比ではなかったわけです。同時に発行部数は、当時は改造が日本のトップで、あらゆる意味で日本を指導していた雑誌です。

京橋に大きなビルがあり、アインシュタインを戦前日本に招聘《しょうへい》したのは、山本実彦《やまもとさねひこ》という改造社の社長でした。一雑誌社と言っても、アインシュタインを招聘するくらいの力があった。私などは出版界に入った時、改造というビルの前を通るとつくづく考えたわけです。おれなんか一生働いても、到底こんなビルは出来ないと。

戦前、ビルを持っていた出版社はきわめて少なく、岩波書店も木造の二階建てでした。そういう時代に大きなビルを作ったところが、それがわずか二年で倒産してしまって、今は何にも残っておりません。

そのビルは確か東芝のショールームか何かに改装されています。なにしろ日本一と言われたものがあっという間に、二年ぐらいで倒産したのが、出版界に入りたての頃の私にはショックだったわけです。

この理由というのがはなはだ皮肉なんですが、そういうふうに戦前から非常にアメリカの学会と関係が深かった出版社なので、二世が戦後非常に早くアメリカに留学しました。みんながなかなかアメリカに留学など出来ない頃、留学して、向こうの経営学を学んで来た。

アメリカの経営学を学んだおそらく日本ではしりの人です。同時に向こうのマクミランなどの大出版社にしばらくおり、アメリカの出版事情というのを非常に詳しく知って帰って来ました。

当時は、アメリカが絶対の時代ですから、なんでもアメリカ化すればよろしいと、社の大改革をして、全部アメリカのシステムに直したところ、二年目で大出版社が跡形もなくなるくらい完全に消えてしまったわけです。

会社はマニュアルがあればうまくいくか

これはまことに不思議なのですが、それで潰れ出す時にはいろんな怪談も出て来るわけです。怪談とか伝説とか今でもありますが、当時の古い社員に聞いてみると、結局伝統的なわれわれの持っている秩序という意識、いわゆる社会構造およびこれによって生ずる意識と、アメリカから持って来た組織という意識が絶対マッチしなかったんだと言います。自分が何をやっていいのかわからなくなって来ると。

こういう例は他にもありまして、内田老鶴圃《うちだろうかくほ》という、地味ですが非常に古い、明治十三年創業の自然科学書の出版社のひとつですが、これも同じ方向を取りました。この時、社員がこれじゃ潰れちゃうぞと結束して社長を追い出してしまったという例もあります。

アメリカ直輸入がたいへん危ないというのは、私たちは身に染《し》みたわけです。出版業はある意味で非常に基礎のない、虚業と言ってはなんですが、産業でして、こういう場合に持ちこたえがきかなくて、あっという間に消えてしまう。こういうことが出て来るわけです。

これはある意味において日本の社会および日本の企業全部がどこかで抱えている問題です。この時にどういう方式を取ったのか。本当のアメリカ式をまじめに取ったわけですが、彼らの社会というのはイエズス会であれアメリカの会社であれ、同じシステムです。

まずひとつの定款という規約を作る。これに基づいて規則が出来る。この規則に基づいてポストが決まる。この各々のポストに対していわゆるマニュアル（業務規定）がある。お前さんの権限はこれだけである。これは時によっては電話帳くらい厚い場合があり、この権限だけのことをしていればよく、社員はこれだけのことをしますという契約で入社する。それ以外のことはしない、する義務はない。しかし、これだけのことはしなくちゃいかん。こういうシステムを取っていて、アメリカでこれをやるとたいへんうまくいきます。

これを徹底すればするほどうまくいくようで、ホリデイ・インという有名なドライブイン・チェーンがあって、非常な勢いで伸びましたが、これはこの方式によってです。どなたでもおいでください。うちの学校に入れます。そこでマニュアルを徹底的に教えこむ。これは細かい規定があって、コーヒーのいれ方までちゃんと規定してあるそうで、その通りにやるとコーヒーの温度が七十二度になるそうです。

飲もうと思って口に運ぶ時に、七十二度がいちばんおいしいそうで、その通りにやると何回やっても七十二度になるという、こういうことまで全部マニュアルに書いてあり、この通りにやりなさい、その通りにやれば給料を払います。その通りにやらなければ、契約違反だからやめていただきます。

こういう形で、経験がない人でも誰でもどんどん集めてその通りの教育をする学校があります。ホテル学校を自分で経営しながらこれをやって、世界中に伸びていった。こういう方式は、アメリカだとうまくいきます。

日本ではたしてこういう方式をとったら、うまくいくかというわけですね。各々がみんな膨大なマニュアルを持って、おれの権限はここまでだ、隣の権限はここまでだ、ここまではおれがやっていいし、ここから先はやっちゃいかんと。そんなことは実際どこでもやっていません。

以前、ダイヤモンド社の坪内嘉雄《つぼうちよしお》さん（注：元社長）に会った時、ダイヤモンド社で社規社則集を出しているかと聞いたところ、そりゃもちろんありますよ、うちはなにしろ模範的な社規社則集を出していますよということでした。そこで坪内さんに、読んだことがあるかと聞いたら、読んだことはないと言うんですね。社員誰に聞いても、実は読んだことがないと。

これはおもしろいんで、大会社に行くと必ずそういうものはあるんですが、だいたい埃《ほこり》を被っており、誰も読んだことない。そういうものは読まなくても、日本の組織は実は成り立っているのです。同時に、社規社則の先にマニュアルがなくちゃ役に立たないんですが、それはだいたいないんです。

たとえば、あなたがたはどういうことをするという契約でこの社に入ったんですか、と尋《たず》ねると、そんなものははじめからありませんと言うわけです。何やるかわからないけど、社にズボッと入って来てゴソゴソやっているうちに、なんとなく自分のやること、それが決まってしまっただけであって、そんなことといちいち決めていたら日本の会社なんてどこも動きゃしない。そういうことになるわけですが、アメリカでこんなことやったらたいへんです、誰も働きませんから。

日本というのはそういうことはしない、そういうことをしないで名目的に社規とか社則とかあっても、実際はそれで動いていない。こういう非常に不思議な二重方式でやって来たわけです。

金脈、人脈、血脈……「脈」で動く

今、実は戦犯、戦争裁判のことを少し調べているんですが（『洪思翊《こうしよく》中将の処刑（上）（下）』一九八六年文藝春秋、二〇〇六年ちくま文庫）、こういうのは戦犯なんかになるとたいへんに困るんですね。陸軍なんていうのもそうでして、いろんな規定が、私などもあったことを覚えていますが、どこの第何条にそういう規定があるかと訊《き》かれてもわからないです。

特に誰がどこの指揮をする指揮権というのは非常に重大な問題ですから、こういう問題はどこかできちんと決めているはずなんですが、実際は誰もそういうのを知らないんです。指揮権のある人間に責任があるというのはアメリカの発想ですから、戦犯裁判でフィリピン方面軍の武藤章《むとうあきら》参謀長が証人として呼ばれ、この指揮権はどうなんだと訊かれます。それはこうこうこうなんだと言おうとしますと、検事側が急に異議を申したて、そんな証言は受けつけられない、そういう重要な問題は日本の陸軍にちゃんと規定があるだろうと。その規定を提出しない限り信用しないと言われるんですね。

弁護側がこれにいろいろ反論して、その規定が発見出来ない場合は証言に代えてよろしいかというようなことを訴えるんですが、裁判長がそれは認めないという。そういうところがあります。

アメリカ人にしてみると、そんな重要な問題について、きちんと内部で規定がないなんていうのはおかしい。規定をわざと隠して適当なことを言うつもりだろうと、こう考えたらしいんです。

考えてみますと、そういう規定があったかと言われると、実は私も知らない。参謀長が知らないことを私が知っているわけがないですから、当然知らないですが。では何らかの慣行においてそういうひとつの権限が決まっていなかったのかと言うと、ちゃんと決まっているんですね、ひとつの常識みたいな形で決まっているわけです。

ただ文書にした形では決まってない。非常にそこに融通性《ゆうずうせい》があります。ところが彼らはそんな形で軍隊という組織が動いているとは想像できませんから、どこかにあると、こういう前提ではじめるので、たいへんに困るわけです。

これは両方のひとつの違いです。彼らはこれがない限り組織というものは運営できない。われわれはこんなものがあると逆に組織が動かなくなって、弱い企業なら簡単に潰れてしまう。こういうことになるわけです。これはある意味においてアラブが抱えている問題と違う形のわれわれの問題です。

これがおそらく、今まで申しあげました武家制度以来日本という国が伝統的に持っている社会構造と、外部から来た組織の間の乖離現象。そう見ていいのではないかと思います。

これがプラスに作用することが、日本の場合はあって不思議ではないんです。組織というものは家族ではありませんから、向こうですとこれが非常にはっきりしていて、家族ではないので、これは組織です。

ところが日本の場合ですと組織的に運営しながら、実際内実的には一種の家族関係になる。これを擬制《ぎせい》の血縁関係、と私は呼んでいますが、実際には血縁関係がなくても日本社会というのは血縁関係という形でひとつの集団を作り得たと言えます。

つまり血脈という形で作り上げていきますから、日本にあるのは組織ではなくて、脈。金脈、人脈という言い方がありますが、脈だという言い方も出来るわけで、いわゆる幕藩体制のいちばん基本になっているのは脈です。各々脈が続いています。

ただこれがひとつの幾何学的な、合理的な組織という形では出来ていなかった。この脈によって全部が動いていますから、一体幕府はどっちの政府なんだという質問をすることが日本じゃおかしいわけです。ところが彼らは、そう言わないと気が済まない。

これは戦犯裁判でも明治のはじめでも同じように出て来る問題です。これがわれわれの特徴ですが、これが組織的な合理性を持って運用をされる場合に非常な能力を発揮し得る。これは当然に考えられることです。

日本軍の場合もそうでして、内部的団結、組織的運営をしながら、内部的団結は家族的団結ですから、これはちょっと考えられない力を発揮する。この点においてはたいへん有利に作用するわけでして、企業においても戦争においてもある時点までは、これが日本にとってはたいへんプラスに作用したと、そう言えますが、同時に弱点でもあります。

日本の組織が持つ弱点

家族というものは、大きく分けると二つ弱点があると思います。家族というものはそれ自体存立理由を持つものです、人間と人間の関係ですから。組織というものは目的がなければすぐ解体していいものです。

日本の場合にはたいへんに困ることは、政府にそれが出て来ますが、ひとたび組織を作ると家族になってしまうので、それ自体が存在理由を主張する。だから要《い》らなくなった組織を解体出来ない。これは日本の組織が絶えず持っている問題点でして、これをどう処理するかというのがおそらく国家の場合でも、企業経営の場合でも問題になる点だと思います。

もうひとつは今申しましたように内部が血縁的な結合になっていますから、血縁的な結合は非常な力を発揮し得る。ところが一回崩壊すると再組織出来ないという困った面が出て来ます。

これは日本軍の負け方を見ていますとだいたいそうでして、たとえばインパール（注：第二次大戦で日本が大敗した戦闘）みたいな場合ですと、極限まで頑張っていても、ひとたびこれが崩壊しますと組織の立て直しが出来ない。一家離散みたいになってバラバラになってしまう。

これをヨーロッパと比較しますと、たいへんにおもしろいのはドイツ軍ですが、あれはモスクワの前面からベルリンまでものすごい距離を退却しています。どこまで行っても崩壊現象を呈さない。すぐさま再組織が出来る。再組織、再組織と、これを繰り返しながら徐々に徐々に撤退していって、ベルリンの、最後の戦いですが、ここでソビエト軍になお十万の損害を与えた。これはたいへんなことです、六個師団ですから。

こんなことは日本軍だと想像出来ない。たとえばモスクワの前面で最後の最後まで頑張っても、ここで崩壊したら一家離散みたいにバラバラになる。これは日本の企業を見ていてもそうです。再編成して、いわゆる交代をして、あるところでひとつの平衡状態を再現して、それでまた出直すということなど出来ない。だから超人的に頑張っていますが、この頑張りの極限が来た時、一家離散みたいな状態になってなかなか再構成が出来ないという面があるわけです。

これはおそらく日本経済も、あるいは日本軍もそうですが、各々の日本企業から日本全体まで、それぞれ持っている弱点ではないかと思います。これは一面においてはプラスですが、一面においては弱点になっています。

そして、これからは、このマイナスの面が出て来るのではないかと、こういう心配があるわけです。日本全部においてこのマイナスの面が出て来るのではないか。これをどう処理するか。おそらくこれがいちばん大きな問題点であろうと思われます。

命令ではなく全員総意の伝統

次に、さっき申しました家族的関係を維持したとしますと、否応なしに稟議制という形になります。社長というものは、軍司令官もそうですが、いわゆる総意を認証するにすぎない。そういう存在になって、それでいいわけです、日本では。

これはおそらく各会社の社長から天皇陛下に至るまで同じだろうと私は思いますが、何々をしろということは言わないんですね。

「嶋田《しまだ》繁太郎《しげたろう》日記」という当時の開戦の時の海軍大臣の日記が防衛庁（注：現防衛省）にあって、一部「文藝春秋」に出ましたが、あれをなかなか見せてくれないので、行って読んで来ました。

それによると、天皇は質問しかしない。あれはどうなっているかと。そういう質問をするだけであって、どうこうしろとは一言も言ってない。

この話をしたところ、いやうちの社長もそうだという社員が非常に多く、社長が来て課長をつかまえて、君あれどうなっているかねと聞くだけだと。部長を見て、君あれどうなっているかねと、これを聞くだけであって、それ以上のことは言わない。

それ以上のことを言わないのが名社長なんで、あんまり細かいうるさいことを言うと名社長になれないと言われます。このシステムは結局、日本においては上から下まで変わらない。これでなくちゃ日本という組織はうまくいかない。

これは今言いました全員総意という形で意思決定をするので、武家時代以来そうですから。そのためにそれを認証するだけ、これは武家政治の特徴です。絶対に命令を下さない。だから認証したいが君はどうなっているのか、あれはどうなっているのかねと、こういう質問になるわけです。

亡くなられた読売新聞の社主の正力松太郎《しょうりきまつたろう》さんという方は、たいへんに変わったところがあったそうですが、大阪に来ても読売の支社に行かない。駅のステーションホテルに泊まって、そこから電話をするそうで、君あれはどうなっているのかと。君あれはどうなっているのかと聞くだけですが、そう聞かれるのが何よりも怖かったそうです。これは日本的リーダーのひとつの資格です。

これはこれでうまく作用している時は悪くない。いわゆる全員一致の稟議方式と、これによる認証という形ですべてが動き出す。全員が一斉に一方向に動きますから、実に能率的なわけです。

この間、アメリカに行った時に、向こうの陸軍大佐、実は日系の三世で日系アメリカ人市民連盟の会長ですが、日本語が相当うまく、これはいい人がいたと思って、いろんな話をしました。

この話もして、日本はこういうふうにやっていると言うと、それはいいなあと言うんですね。そうなら指揮官は、そんな楽なことはないじゃないかと。

アメリカはそういうわけにはいかない。参謀は必ず三つか四つ案を出す。その案のどれを取るかというのは指揮官の決断で、出したらあとは参謀は知らんぷり。ところが実際のことを言うと、どの人間だって自分の案を取ってくれればうれしいけれど、自分の案を棄却されればいやな気持ちがする。そういう人間はやっぱり協力しないものだ。だから面従《めんじゅう》腹背《ふくはい》になる。そういう連中を統御するんだから、よっぽど強い権限を持てなくちゃできない。

そういう悩みが非常にあるわけですが、日本軍というのはその悩みが全然ないのか。指揮官としてはそのほうが楽だから、私は日本軍の指揮官のほうがよかったなんてそんな冗談を言い合ったんですが、その時に最後に彼がふっと言ったことがあります。その案が失敗したらどうするのかと。

問題はそこになって来るんですね。アメリカの場合ですと第二案、第三案というのがあるんです。一案が失敗したと言った途端にその第二案が出せる。日本の場合それが出来ない。これが作戦面その他で、絶えず欠陥として出て来るんです。

徹底的な討議をせず、あるところで一本に一本にと絞っていく。これは文化的な違いがあって、なかなかそれを変えろと言っても出来ないんで、国際会議に行きますと、ヨーロッパの代表はこっちから見ると変で、同じことを言っているように見えるのに違う意見だと言うんですね。

ここが違う、ここが違うと言って、違うところばかり言い立てる。だいたい同じじゃないかと言ってもだめで、ここが違うんだ、それぱかり言い立てるところがありますが、日本の代表は違って、ここが同じだ、ここが同じだと、同じところを一所懸命強調する。

これは伝統的な違いです。ですから、彼らにはこの方式は成り立つんでしょうが、われわれにはこの方式は成り立たないですね。やろうと思ったら、おそらく伝統的にうまくいかない。昔の人はどう処理をしていたんだろうということになるわけです。

密かなる第二案を持っているリーダーが必要

ところが古い記録、日露戦争の頃の記録によると、日露戦争はうまくいった面とうまくいってない面があるわけです。隠している第二案というのがあるんですね、これが指揮官の機能だったらしい。

一応、第一案みたいな顔をして全員これでやろうという形に持っていってしまう。しかし指揮官は、黙って第二案をどこかに持っているわけです。それは表に出さない。指揮官まで第一案だけになってしまうとだめなんですが、日本の場合、第一案という形でまとまってしまいますから、別な形で自分が第二案を持っている。

これは日露戦争の時は、この関係が大山巌《おおやまいわお》（注：満州軍・総司令官）、児玉源太郎《こだまげんたろう》（注：同・総参謀長）の間で非常にうまくいっていた。大山は絶えず一案のように見せながら、実は懐《ふところ》に第二案を持っていた。これがおそらく日本のリーダーにいちばん大事な点じゃないかと思います。ヨーロッパ式にやるとうまくいきませんから、必ず第二案を持っている。

古い日本の言葉に「敵を謀《はか》るならまず味方から」というのがありますが、ヨーロッパを探しても、こういう言葉はあんまりないです。まず味方を騙《だま》さにゃいけないというのは、おそらくこれを言ったんだろうと。みんなに、これだけがみんなが決めた唯一の案だと思わせておく。しかし、自分はちゃんと別な案も持っているんですね。

ところが、明治以来だんだんヨーロッパ化しますと、ヨーロッパ式と過去の日本式とがくっつき、本当に第一案だけになってしまうんです。そうなると、それがうまくいかなかった時に、とっさの間にこれを代えることができない。ですから日本における指導者の条件はいろいろと言えると思いますが、必ず密《ひそ》かなる第二案を持っていること、これは必要であろうと思います。

これは、そういう状態で全般を統制していたわれわれの先祖が持っていたひとつの知恵です。「背水の陣」という言葉をわれわれは好きで、絶えず背水の陣という言葉が出て来る。実際これは、韓信《かんしん》（注：漢の武将。川を背にして布陣）の背水の陣から来た言葉でしょうが、武田信玄などもこれを言っているそうですが、あの時、韓信は本当には背水の陣を布《し》いてないんですね。布いたかのごとく、部下に錯覚をさせたというだけなんです。

渭水《いすい》という川のほとりの城を攻めた時ですが、あらかじめ一部隊を山の中に隠しておく。これは誰にも言わないで隠しておき、残った部隊で城壁を攻撃する。ところが城壁を攻撃しても兵隊が少ないですから、たちまち撃退されて逃げていくことになります。そこに城壁の兵隊が追撃をして来た。その先に渭水という川があった。逃げた兵隊はそこから先は逃げられない。まさに背水の陣みたいになるわけです。

そこで無我夢中で防戦をする。ところが城兵も無我夢中で応戦をする。両方が夢中になっている最中に、別の隠していた一隊が城壁を占領してしまった。それを見た、川縁に追い詰められた兵隊の士気がたちまち百倍になり、一方、追いかけて来た城兵は後ろを見ると城壁が占領されている。それで一瞬にして潰滅してしまったという話です。

日本人は間違って解釈していますが、本当は背水の陣を布いていません。ただ部下に背水の陣を布いたかのごとく錯覚を抱かせて、その勇気を引き出したわけです。ただ自分は別案をちゃんと持っている。中国のことはよくわかりませんが、これがおそらく日本のリーダーが持っていなければならないひとつの資格であろうと思います。

ところが、この知恵を太平洋戦争期になると、日本のリーダーは失っているんです。今もおそらく失っているんじゃないかと私は思うんですけど。

なんやかんや言いながら、福田赳夫《ふくだたけお》さん（首相。一九七六年―一九七八年）が別案を密かに持っていたなんて言うとたいへんに頼もしいんですが、おそらくそうじゃないんじゃないかと。戦後この傾向というのは、ますますひどくなったんじゃないかと思います。

こういう方式はいわゆる言論の自由と、自由なる討議と、それによって多数決でことを決定するという社会では成り立たない方式で、こういうことをやると、はなはだアンフェアと言われるわけですが、日本はこれをしないとうまくいかない。

この様式の差というもの、絶えずわれわれは心得ていなければいけないんじゃないかと思います。このいちばん基礎にあるのはやっぱり家族的関係ということです。家族は多数決でものを決めるんじゃなく、やはりお互いに譲り合って全員一致でものを決める。

家族に関する限り、どの家族でもほぼ同じです、もっとも家族関係を断ってしまえば別ですが。この家族関係というのが日本では組織に入っている。こういう形が日本の特徴だと言えるからだと思います。

上・下でなく横の連帯が優先

このいちばん基礎は簡単には変え得ない。どうして簡単に変え得ないかと言いますと、いちばん基礎、人類のいちばん古いところになると、いわゆる宗教的なものになって来るわけです。ここから違うわけですね。

これはよく誤解されるんですが、モーセの十誡《じっかい》、みなさんよくご存じでしょうが、汝殺《なんじ》すなかれとか、盗むなかれとか、聖書に古い戒律が出て来ますが、これは正式にはシナイ契約と学者は申します。

これはひとつの契約でして、こういうことを守ったらお前たちにはこうしてやるという神様と人間との間で契約を結ぶ。こういうたいへんおもしろい発想なのですが、これが実は一人称単数なんです。

日本語には単数複数がないからわかりませんが、お前たちは、じゃないんです。お前たちはみんな殺すようなことはしてはいけないよとこう言ったんじゃなくて、お前は、なんです。この契約関係は、人と神との間の一対一のたいへんおもしろい関係で、集団対一ではなく、一対一なんです。

これはヨーロッパの遊牧民のひとつの組織の基本になっている、今で言う定款ですが、彼らの考え方の特徴です。真ん中にひとつの抽象的なものを置く。それを神と言おうと定款と言おうと契約と言おうと、なにしろそういう抽象的なものを置く。それに対して各人が契約を結ぶ。この契約の内容によってその組織内の各人の位置が決まる。こういう形で彼らの組織は出来ていて、横の連帯という形では成り立たないのです。

ただ横の連帯がどういうふうにして成り立つかというと、各々の契約内容によって成り立ちます。隣と自分とが同じような契約条件で入っているなら、お前はおれと同僚だと。こっちはあとになるわけです。いわゆる頂点との契約がいちばん最初に来まして、その次に横の連帯が出て来る。

日本はその逆になって、どこへ行っても、まず横の連帯が先に出来、それから上と下との関係という形になるわけですから、これもやっぱり武家制度の方式と同じになるわけですが、上・下ではなくて、横。こういう形がいちばん先です。ですからタテ社会という言い方が、これは、中根千枝《なかねちえ》先生（注：社会人類学者。『タテ社会の人間関係』を著《あらわ》す）が、あの言葉は非常に誤解されたと書いておられるように、この点、問題があるわけです。

むしろ横同士でひとつの話を決めると、それを上から認証するという形で成り立っていても、上と下との間にまず契約が出来て、それによってはじめて横との関係が出来上がるというわけではないのです。

これが彼らとわれわれとの社会構造のいちばん大きな違いですから、この違いというものを無視して何をやろうと、たとえば彼らの組織だけを輸入してその通りにやろうとしても、うまくいかないわけです。

ですから組織を壊すということは彼らにとって非常に簡単なことでして、会社なんていつでも解散して構わないわけですが、同時にすぐさま別な定款を作って別な組織を作ると何度やり直しても彼らは平気なんです。われわれはそういうわけにいかないのですが。

ピラミッド型の組織を作ったことがない

これは人事という点を見ると非常におもしろく出て来ます。日本だと簡単に――こういう例はあげていいかどうか問題あると思いますが――たとえば毎日新聞が営業的に困っているとニュースで知られておりますが、アメリカだったらどう処理をするか、ということなんですね。

アメリカですと、おそらく編集長以下、上の幹部をスパッと首にしちゃうだろうと思います。編集は朝日新聞がいいというなら、朝日の編集長を引き抜いて来てそこに据える。営業もよろしくないなら、営業の上をポンと外して、営業は読売がうまくいくというなら、その営業部長を引き抜いて来て据える、おそらくそういうことをやると思うんです。

というのは、アメリカは平気でそれをやるわけで、アメリカへ行った時に、東部の名門新聞社に行ってみると、まったくひどい状態になっている。潰れる直前みたいになっているんですが、一体どうしたんだと聞いたら、いちばん上のいいスタッフをみんなワシントン・ポストに引き抜かれちゃったと言うんです。

こういう引き抜きがあっても、組織というものは上・下の関係ですから、すぐそれで動くんですね。日本じゃ絶対そういうことをしたら動きません。逆にひどい混乱状態になるだけで、この点が基本的に違うわけです。

どこから違いが出て来たかと言うと、今申しましたように上・下の契約関係ということと、もうひとつわれわれが忘れてならないことは、日本の社会には奴隷制度がなかったということです。

ローマ時代など見ると、人間を完全に組織化出来たわけです。彼らの組織という概念は、こういう発想をしていいかどうかわかりませんが、おそらく奴隷制度にいちばん大きく基礎を置いているんじゃないかと思われます。

奴隷制度なんて言うと古いようですが、南北戦争までアメリカはこれをやっていたわけで、人間を売買して、というよりも人間の労働力を人間ごと売買していたわけで、これは同時に自己の労働力を自分で売るという発想が出て来ても不思議でないわけです。

日本にはその伝統が皆無《かいむ》です。したがって奴隷を組織するような形でものを組織したことがない。同時にもうひとつ、組織という概念には幾何学的整合性という言葉がありますが、幾何学的にピラミッドのようにきちんと出来てなくちゃいけない。こういう形が要請されるわけですが、幕府なんか見ますと、そういうことは一切無視していて、ピラミッド型の組織というものを作ったことがない。上から見ても下から見ても、あるいは伝統的な宗教的発想から見ても、どこから見ても、われわれはこれをやったことはない。ないから、これは出来ない。

今言ったような、われわれの先祖伝来の知恵というものを活用しても、アメリカ的に持っていこうという発想はやめたほうがいいんではないかと、私はそう思っております。

ただ、このようにして出来た日本的なひとつの社会構造というものには、たいへん大きなひとつの欠点があることも否定出来ないのです。したがって、おそらく将来この日本的なほうにどんどん回帰すると思いますが、回帰した場合その欠陥をどうやって克服するか、これはおそらく政府から会社に至るまで要請される問題であろうと思います。

日本のリーダーは世話人⁉

今まで述べて来ました武家方式というのが、なぜこんなに長く続いたのか、なぜ日本のひとつの基本的な社会構造たり得たのか、こういう点を探っていくと、結局日本における米作農業というものに行きつきます。

われわれは弥生時代からコメを作っていて、国民の九割がコメを作っていました。日本の農業における大きな特徴というのは、ヨーロッパの農業あるいは中東の農業と違って、農耕暦なしでも農業が出来た、ということです。弥生時代なんか明らかに農耕暦がないんですが、それでみんな農業をやっていたというのがおもしろい点であります。

農耕暦というのはエジプトなんかでは非常に古くからあります。エジプトには気候の変化というものがなく、ナイルの増水だけを当てにして農業をするわけですから、ナイルが増水する一ヵ月前くらいに農業の準備をしなくちゃならない。これを誰かが予言してくれないと、一国飢え死にするようなことになってしまう。

ですから神官というのは、昔から天体を観測して、一ヵ月後にナイルの水が増えるから、もうそろそろこういう準備をしなさいと言う役目を果たしていたわけです。そのため、しまいに大きな権力を握ってしまうわけですが、日本というのは、これが明治になっても必要じゃなかった。

以前、富山に行った時に農耕暦と農業はどういう関係でやっていたのかと古老に聞いたところ、「そんなもの私は知らない。何とかいう山があって、その肩のところに雪があると、この雪がどう変わったかによって、どれくらい気候が変わって来たかわかるから、それによって昔は全部やっていたんだ」と。

どこへ行っても、だいたい「そういうひとつの天然のカレンダーみたいなものがあったんだ」という話を聞きました。気候のほうで非常にうまく循環してくれますから、人間はそれに順応してその準備をしていればよかったわけです。

日本のリーダーは、これができなければいけないわけでして、これができるということは詰まるところ、いわゆる内部の和を保って一斉にある時期に田に出なくちゃいけない。というのは、その時期を外すとどうにもならなくなるので、この時には一斉に全員が田植えに出る、あるいは刈り入れに出る。

この場合、わが道を行くなんて許されないわけでして、そういうことを言う人は本当に村八分になってもらわないと困る。全員がこれに対して参加する。いつでも全員がこれに参加し得る体制をとっておくことがリーダーの資格であり、リーダーを置く目的なわけです。

したがって、外に目標を求めず、逆に内を見る。これが日本のリーダーの特徴になっているわけです。これを世話人型リーダーと、私は言っています。これは社長以下、あるいは総理大臣以下、みんな日本のリーダーは世話人という形を取らざるを得ないのであります。

なぜこういうシステムが出て来たかというのは、今申しましたように米作、これが日本の基本でしたから、幕府はその上に乗っていたわけです。その循環に応ずるような体制をとっていた、少なくとも明治まで。これは連綿と続いて少しも不思議ではありません。このひとつの基本に最もマッチする方法を取っていた。

ただ、これは今申しました目的を持つ必要のない組織です。それ自体存立していれば、気候のほうで変わって来てくれますから、これに対応する体制さえとっていればよいと、こういう組織でして、リーダーは目標を示す必要がないのです。

ところが、非常に古く、遊牧民時代からになりますが、遊牧民はそうじゃないんです。リーダーは絶えず、次に行く目標を示さなければならない。

馬場嘉市《ばばかいち》先生（注：『聖書地理』の著書で高名な神学者）――パレスチナからシナイ半島まで、あの辺を一九二七年からずっと八十代になっても探索されていて、一九二七年頃には遊牧民と一緒に生活もされた、というおもしろい方です――が、「リーダーというのはあそこではちゃんとひとつの資格が要《い》る、なぜなら、その地点に留《とど》まっておれないから」と言われました。

そこに留まっていたら草も食いつくし、水もなくなる。ある一定の時期に、ある一定の目標を定めて、一定の距離のところに移動しなければならない。そのため、時間の経過と距離の移動ということに対して、非常に綿密な計算――体験的な計算でしょうが――が出来ない人間はリーダーになれない、というわけです。

目標設定が下手

また、あそこでは絶対に単独行動が出来ない。と同時に、いわゆる自然発生的集団でも行動出来ない。非常に厳しい組織というものを作って、リーダーが目標を決めて何月何日までにここに行かない限り、みんな餓え死にしてしまう。そういう状況の中を年中歩きまわっている。

否応なくここでリーダーに要請されることは、方向の指示、目的地の指摘、およびそれに至る方法論の提示と、それに応ずる組織の改編と、こういう形にならざるを得ないんで、ごく当たり前のように、最も原始的と言いますか、最も原始的な生活をしている人はごく当たり前のようにやっている。

馬場先生は、「これを見てつくづく驚いた」と言われたんですが、こういうことはいわゆる近代になってはじまったというよりも、むしろそういう組織の上に彼らが近代社会を築いていったと考えるべきでして、どんな原始的な状態に戻ってもこの基本というのは変わらないのであります。

ヨーロッパは両方の影響を受けているわけですが、日本はこの影響を一切受けなかった。

同時に非常におもしろい独特の気候の循環に対応するひとつの社会構造というものを先祖伝来続けて来た。ここに差があるわけです。

したがってこうなった場合、われわれの発想の中でいちばん困る問題は何かと言いますと、目標の設定が非常に下手だということです。下手だという言い方はおかしいんですが、目標を設定して〝こうすることは一体どういうことなのか〟と考える発想は、まずわれわれにないということです。

今まではヨーロッパの真似をすればよかった。ところがヨーロッパの真似をするということは、ヨーロッパにあるものを日本に運んで来るということでして、これは空間を移動するだけで、いわゆる時間的未来と現在との間をどう位置づけるかという発想はいらないのです。

これを明治以来われわれは進歩と考えていたわけで、すでにあるものをただ船で運んで来た、すでにあるものを輸入して来た、これだけのことでして、彼らの考えていたようなひとつの進歩という意識、これはわれわれにないもので、なくて十分であったわけです。なくて十分であったというのは、こういうのはひとつの国際的な環境の変化みたいなものですから、それに大きく対応するような形でこれを処理出来て来た。これがだいたい今までの日本の状態です。

明治以来、ほぼこのやり方でやって来たので、われわれはそれさえやっていれば大丈夫という、ひとつの錯覚を抱いている。しかし、これはもうほぼ一杯になって来る。大正時代にもちょっとその現象は出ていますが、今（注：二十世紀後半）はそれがいちばんひどく出て来たのではないかと思います。

そこへ来ると、さてどうしていいのか、これは総理大臣からわれわれに至るまで実はわからなくなるんですね。持って来るものがなくなっちゃうと、さあどうしていいかわからないと。これは今まで日本的発想、いわゆる空間的移動で物事を処理して来たからこうなったわけで、いわゆる進歩という概念はこれと非常に違うわけです。

これは宗教的にはいわゆる予定調和説などという問題になって来るんですが、こういうのは神学的に面倒くさい問題なので、非常に簡単な例をあげますと、アダム・スミス（注：イギリスの経済学者）が「見えざる手」という変な言葉を使っているわけです。

一体、見えざる手とは何かということになりますが、これはおそらく宗教改革者のカルヴァンの発想の影響だと思います。彼は自分を経済学者と思っていなかったでしょうが、見えざる手とは一体何だと言いますと、聖書にある「見えざる神の手」という言葉から来たんだろうと思いますが、これは未来のある時点で、ある調和が予定されているという発想です。

したがって、そこである調和が予定されているのだから現在は自由競争でよろしいと、スミスはそういう発想をしているわけですね。未来にあるひとつの調和を予定して、それと現在を結ぶことによって逆に現在を規制する。一体、自由放任しておいて大丈夫なのかと、当時こういう反論はもちろんあったと思います。

いや見えざる手があると。将来ある点に行くと、自由競争はある調和に達成する、だからこれでいいんだと。これは未来を予定して、それで現在を規制するという行き方です。

これはいわゆる泉を目がけて、その泉にどう行くかということで現在を規制するというのと基本的に同じ発想でして、あそこの地点、あるいはある時点、そこにおいてこういう調和が予定されているからそれで現在を規制していくんだと、これが彼らの持っている基本的な進歩という概念です。われわれはそういう考え方を先祖伝来する必要がなかった。

考えようによるとマルクスもそうで、未来は共産主義社会というのを予定された調和として置いているわけです。未来は共産主義になるから現在はこうしなければいけないという発想になって来るわけです。予定調和という考え方はケインズ（注：イギリスの経済学者）にもあるわけです。

予定調和という考え方は、本当は宗教的発想ですが、これは社会的発想にもなり得て、彼らは昔から絶えずこれをしていないと安心のできない民族だったわけです。非常に古い形態ですと、終末論いわゆるエスカトロジーという形で出て来ますが、これが近代化されていくと以上のような形になって来ます。

予定調和という宿題

だが実は、われわれはそういう発想をしたことがないのです。こういうふうに総合的に見ていくと、未来のこの時点において日本というのはこういう調和した状態になり得るであろう、であるが故に現在はこう規制しなければならない。これは明治以来、いや先祖伝来やったことがないのですが、おそらく現在、われわれが要請されているのはこの発想ではないか、と思います。この発想と日本の伝統的発想とをどう結びつけるかというのが、われわれの持っている問題点ではないかと思われます。

予定調和という発想法を考える際に、ある意味で戦争というのは、たいへん参考になります。

戦争の話は戦後あまりしません。しかし、戦争はさまざまな形で自分の到達点というものをあらかじめはかっておく、と。同時にそこに行くためにはどういう方法をとるのかというのを、対象を見ながら逆に計算することなんです。これ以外に戦争はやり方が、方法がないんですが、この計算に失敗すれば、ちょうど日本軍が大敗したニューギニア、インパールのような形になる。

　これは非常に調和のとり方、この地点までは糧食はこれだけで、水はこれだけで、弾薬はこれだけで、と計算して、この地点でこういうふうになってひとつの調和が成り立つと、これを計算するわけです。この計算に失敗すると一切が失敗する。

　これはもちろん、われわれがやった経験がないわけではないのです。企業でも必要なわけで、全般的な状況というのをにらみ合わせて、どの地点で自分の企業がどういう形でどれだけの規模でどういう調和状態を作り出すか、これはあらかじめ計算すべき問題です。

　ただ、われわれは、これをやるのがたいへんに下手でして、シンクタンク（注：頭脳集団）なんてものを大企業は作っていますけど、実際には活用しておりませんで、あのシンクは考えるシンク（think）ではなく沈むほうのシンク（sink）かなんて悪口も出るような状態で、非常にまずいですね。

これが戦争の場合、さっき申しましたように、隠している二重の、第二案のような形で、昔の指導者はたいてい持っていたわけです。むしろ、そちらのほうにひとつの予定調和を求めていた。

これは伊藤博文《いとうひろぶみ》なんかのやり方を見ると、はっきりそれが出て来ます。一体これは戦争を止めたがっているのか、やりたがっているのか本心はなかなかわからない。しかし、わからないように見えますが、実は両方の案というのを絶えず持っている。

これは絶対に一案に絞らないで、表向きの第一案で予定調和が求められなければ、あるいは求めるのに失敗したならば、第二案で行くと。これがおそらく、彼らのやり方と、われわれのやり方のひとつの総合点と申しますか、調和させる点は、だいたいこんなところにあるのではないかと、そう思います。

だいぶあっちこっちに話が飛びました。私なども細々と出版業を経営しておりまして絶えずこういうことを考えてやっているわけです。非常に危ない商売でして、将来の読者状況と、それから今の傾向と本をどのくらいの時点でどういうふうに作ったらそこでうまく調和が達成出来るだろうか。

やっぱり実際やってみますとたいへんにむずかしい問題です。おそらくこれからの一国の経営であれ一企業の経営であれ、われわれの存亡がどっちに行くかということは、この点をどう処理するかにかかっているんじゃないかと思います。

いわゆる伝統的な社会構造と輸入した組織と、この間の矛盾《むじゅん》というものをいかに処理するか、おそらくこれがいちばん大きな要点であろう。日本がもしも伝統的な社会構造だけでやっていける、いわゆる国民の九割が米作という場合にはこれは心配ないわけです。これが非常に乖離しているアラブのような場合は望みがないわけです。

日本の場合はそうではありませんで、この二つというものは明治以来うまく調和させ得たし、調和して来たと、同時にその調和の方法というものを失った場合にはうまくいかなくなる。こういう状態にあるのではないかとそう考える次第です。

おそらくこれをうまくやれば、われわれは永続するであろう。へまをすれば、また同じ道と言いますか、同じ失敗を繰り返すだろう。そう考えています。

【初出：（株）田辺経営が一九七七年に国立京都国際会館で開催した第十五回イーグルクラブ国際大会での講演】

第二章　日本型リーダーの限界

世界でいちばん忠誠心がない民族!?

「日本型指導者の限界」という題の講演ですが、「企業忠誠心が崩《くず》れようとしている時に、日本的な世話型指導者の限界点が生じる」という副題がついています。

日本人がはたして、そんなに昔から何かに対して忠誠心を持っていたかどうかというのは非常に疑問で、世界でいちばん忠誠心がない民族ではないかと言われる面もあります。

元来、何かに対する忠誠心がなぜ必要かというようなことが議論になり出したのは徳川時代のはじめです。これは山鹿素行《やまがそこう》（注：江戸時代前期の儒学者）あたりから出て来ます。

簡単に言いますと、当時戦国時代が終わり、それから朝鮮戦争（注：朝鮮出兵。文禄・慶長の役）の敗戦があって、武士という者ははたして存在理由があるのかという問題が出て来るんですね。

武士というのは常にプライドが高かったように後で言われますが、あの時代を見ると決してそうではなく、こんなもの要らないんじゃないかと山鹿素行も考えるわけです。

戦国が終わって敗戦となりますと、これは不必要なんじゃないかと思われてきますし、同時に、当時多くの武士の失業者が出て、失業しても再就職の機会がないわけです。

誰も戦争しない時に武士をたくさん雇おうとは思いません。徳川家光《とくがわいえみつ》（注：三代将軍）の時に鄭成功《ていせいこう》（注：明《みん》の遺臣《いしん》。新興の清《しん》と戦った、主家《しゅけ》が滅亡後も残っている旧臣）が、明が滅亡する時ですが、援兵を請いに来ます。その時に紀州家の徳川頼宣《とくがわよりのぶ》が浪人を十万集めて自分が行こうかという言い方をするのですが、これは失業救済、同時に失業者撲滅というわけです。

ずいぶんひどいことを考えたものだと思いますが、浪人にしてしまえばいいじゃないかという説も出て来る。武士というのはあの当時、邪魔者扱いされていたわけです。これは当然なことです。

そうなった時になぜ武士というものは存在理由があるのか、武士がいろいろ考える。絶対的忠誠心はその辺から説かれる。

簡単に言いますと、失業者が多い時にはみんな企業に対して絶対的忠誠心を持つようなもので、しかも再雇用の機会がないという時には、これは死ぬことなりと覚えたりみたいな、『葉隠《はがくれ》』（注：江戸時代中期の武士道書）にあるように、後からいろいろ言われますが、この考え方は、あの当時に出て来ます。

武士の存在理由を自他に納得させたいため？

自分たちの存在理由はなんであろうか、本当のことを言うとないんだ。ないならどうすればいいのか、絶対的忠誠心を固持して死ぬことなりと覚えたり、と言う以外に方法がないみたいな状態に置かれているわけです。

素行の『山鹿語類』と並べて読んでいきますと、なるほどこういうことを言っているのかと逆な面が見えてきます。

自分たちが社会に不要な存在であるという意識がどこかにあり、では何によって存在理由を見つけようかと、それは絶対的忠誠心を持つというひとつの規範を確立してそれを市民に、三民に示す。農工商に示して、秩序の基本となればそれでよろしいと。それができない者は三民に下《くだ》れというのが、山鹿素行が言っていることです。

絶対的忠誠心を持っている限り存在理由がある。それができない者は農工商になれと、あの頃すでに言っているわけです。これと不思議な癒着《ゆちゃく》をするのは朱子学《しゅしがく》で、これははたして朱子学がそういう機能を持っているかどうか、ある面では疑問に思うんですが、山崎《やまざき》闇斎《あんさい》（注：江戸時代前期の儒学者）などによって朱子学を利用して体系化されたと、むしろそう見たほうがいいと思います。

当時、闇斎門下の崎門学《きもんがく》というのが出て来ます。そして忠誠絶対というひとつの思想を形成するのですが、これが出て来るのがやっと元禄《げんろく》の頃です。

さらに国民全部の規範のようになって来るのがやっと明治で、いわゆる武士道、武士道と言い出すのは、実は明治なんです。それ以前の日本にはないわけです。終戦でそれが崩れたわけですけれど、それでも日本人は何らかの企業に対して忠誠心を持っていた。これはなぜであったか。

指導者の限界という場合、もちろんリーダーというのは常に部下の忠誠心がないと、どんなにしてもリーダーになれません。ですから、どの辺で問題がどう出て来て、戦後のいわゆる企業への忠誠心はどこから出ているか。むしろそういった忠誠心以前のもっと基本的な面から出ているんじゃないかと、私はそう思っております。

天皇への忠誠心もなかった

そこで、日本のいちばん古い固有法について考えてみましょう。

その前の律令《りつりょう》（注：古代国家の基本法）というのは中国の模倣《もほう》で、この模倣もずいぶん変な模倣ですが、一応模倣であって、さらに明治以降の日本は西欧の模倣という形になっています。

これは京大の矢野暢《やのとおる》先生の言われる「劇場国家」、つまり向こうからシナリオを輸入して来て一所懸命その通りに演じている時代が確かにあるんですが、そのちょうど中間、日本人が自分で法律を勝手に作ってそれに基づいてやっていったというのが貞永式目《じょうえいしきもく》（注：正式名称は御成敗式目《ごせいばいしきもく》。一二三二年に制定された武士に関する法律）以降の武家社会になるわけです。

この法の基本というのを見てまいりますと、今言った忠誠心というようなものを少しも前提としていません。これは前提としないわけで、作った北条泰時《ほうじょうやすとき》自身が三上皇（注：後《ご》鳥羽《とば》上皇、順徳《じゅんとく》上皇、土御門《つちみかど》上皇）を島流しにして、それから後鳥羽院の荘園を全部没収して後堀河《ごほりかわ》天皇を擁立して仲恭《ちゅうきょう》天皇を退位させます。

実は、仲恭天皇という言葉など明治まではなく、明治になって慌《あわ》てて挿入したのです。それまでは九条廃帝（注：即位式もなく七十日あまりで譲位した仲恭天皇の呼び名）と言っておりました。こういうことを勝手にやった時代ですから、天皇への忠誠心なんていうのは出て来るわけがない。

同時に北条氏は元来、もとを探れば伊豆の第一官人（注：役人のトップ）で、荘園の下級管理者ですから、他の御家人は、源 頼朝《みなもとのよりとも》には何らかの忠誠心を持っていても、北条氏に対して忠誠心を持つことは考えられない。だから三浦一族なんていうのは自分のほうが上だと、この意識が絶えずあるわけで、三浦胤義《みうらたねよし》（注：鎌倉幕府の御家人）は後鳥羽上皇に言われると、すぐによろしゅうございますと言って、自分が行って北条氏を討伐《とうばつ》しましょうみたいなことを言い出す。

こういう動きが出て来るというのは、つまり、同輩かむしろ下がリーダーになっていることに、内心はなはだおもしろくないという人間がいっぱいいる世界です。

報酬の額が人間のステータス

このような〝忠誠心というものが名目的に何もない世界〟というものをどうやって秩序づけているかと言いますと、非常に露骨ですが、メリットクラシー（注：能力主義）と呼んでいいかどうか私もだいぶ問題を感じますが、その人間の業績ないしは功績、広く言えばパフォーマンスによると言っていいと思います。

業績に対しては必ず報酬があるぞというのがあるわけです。だから宇治川の先陣争い

（注：一一八四年、源　義仲《みなもとのよしなか》と源　義経《みなもとのよしつね》の戦いで、梶原景季《かじわらかげすえ》と佐々木高綱《ささきたかつな》が先陣を争った）なんていうのが出て来るわけですが、裁定がつかない。すなわち先陣と認められたほうには報酬がある。だから報酬をどっちが獲得するか、同時に報酬は所領でもらうわけですから、所領の広さがそのまま御家人のステータスに転化するわけです。

すなわち業績を上げればボーナスがある、その額は人間の社会的ステータスになるというシステムを作るわけですね。

これは階級制度とは非常に言いにくいんで、絶えず内部で上下していて、その代わり法律を見ていくと、いちばんの罪は打ち首ですが、これはめったになく、だいたい所領没収が限度です。所領没収をやられると、法律で一切の人格、財産だけでなく、人格から地位から全部失うことになります。その代わり一所懸命にやれば財産も増える。

簡単に申しますと、財産の大きさというものがそのまま人間のステータスである。業績を上げないと逆に財産は没収される、その人間のステータスは一切失われるというシステムだけでやっているわけです。そして、報酬の額がその人間の社会的ステータスである、ということ、この意識は徳川時代の武家もはっきり持っているわけです。

ですから自己紹介の時に必ず何百石いただくとか、百五十石をいただく何の誰々という言い方をするんですね。今で言うと自分の給料をちゃんと言うわけで、自分は何々会社に勤めて何々部長で給料何十万円いただく何の誰々というこういう言い方になるわけです。

これは単に自分の収入を言っているわけではなくて、百五十石の人間は百石の人間よりステータスが上だということですね。だからもしも席次を、いろんな藩から来た人間で席順を作るとすると、禄《ろく》の額だけで行くわけですから、給料の額でステータスが決まるわけです。

それくらい武家というのは一面でそれが明確になっている社会でして、貞永式目などという法律を見ていきますと、日本人というのはそういう点、相当えげつないところがあるなと、あれを読むとよくわかります。こういう社会ですから、能力なき者は滅亡してよろしいということを法的にはっきり認めているという点があります。

相続の基準は能力主義

これがよく問題になる貞永式目の第八条です。二十ヵ年年紀制というのがありまして、当知行《とうちぎょう》と言って、現実にその所領を本当に知行してない場合、いかなる由緒を主張しても二十ヵ年他人に占有されて放置しておいた場合はそれを訴え出ても、訴えを取り上げない。

こういう二十ヵ年年紀制というのがちゃんと法律になっておりますから、ボヤボヤしていると他人に乗っ取られて、二十ヵ年経つとそちらのものになってしまう。自動的に所有権は移動してしまいますよと言っているわけです。だから何としても、自分で守らざるを得ない。

それからこういうふうになると、今度は誰に相続させるかというのが問題になります。ボヤボヤした者に相続させると取られてしまう。そこで相続原則が能力原則になります。

これは日本だけで、中国の相続法なんかを見ると実に整然たるものだという気がするんですが、そういうのは全然なくて、譲状《ゆずりじょう》（注：所領、財産などを譲渡する時の文書）というのを渡すとその人間が相続をする。原則はそれだけです。

惣領庶子《そうりょうしょし》を問わず、男女を問わず、奥さんでもいいわけで、その奥さんが養子をもらって相続させてもよろしい。こういう条文が、律令と比べると問題がある条文ですが、「そういう時には右大将家《うだいしょうけ》（注：源頼朝）以来」と、つまり「頼朝がそう決めたからそうする」と書いてありますけれど、本当にそうなのかどうかはわからないです。

ただどういう基準で相続させるかというと、これは能力主義です。能力ある者が相続をする。能力がある者に相続させよということは法律にはありませんが、「未処分の跡の事」というのがあって、これがおそらく式目のいちばん大きな特徴と思いますが、譲状を書かないでポックリ死んだ場合どうするかという条文ですが、その時は誰が自動的に相続するかは書いてありません。

「奉公の浅深に随《したが》い、且《かつ》は器量の堪否《かんぷ》を糺《ただ》し」と、こう書いているんですね。だから年功序列みたいなもので、過去においてどれだけ奉公したか、器量の堪否というのは能力の有無《うむ》です。これをよく検討して、「時宜《じぎ》に任せて（そのときどきのケースに応じて）分かち充《あ》てらるべし」と書いているんですが、つまりケースバイケースで決めろと、法律はそう言っているだけでして、これで見ると相続の基準というのは一に能力順位であって、血縁順位というものは一切入らない。だから他人でもいいわけです、養子にもらってくれば。当時、養子をとるのは自由ですから。

さらにおかしいのは一回相続させて自分は隠居をする。確かスペンサー（注：一九世紀イギリスの社会学者）だったと思うんですが、隠居制があった国は日本だけだそうで、権力代行制があった国も日本だけなんだそうですが、隠居して譲状を渡すと幕府が安堵状《あんどじょう》（注：保証書）を出します。

そうなると、そこで所有権の移転があるはずですが、隠居した人間は悔《く》い還《かえ》し（注：いったん譲渡した財産、所領を取り戻す）ということが出来るという権利を留保しています。

これは簡単に言いますと、経営能力がなければ、同時に両親を扶養しないならば、いつでも相続を取り消し得るぞという権利でして、取り消して別な人間にまた譲状を出すことが出来る。

これは十三世紀以来の日本の原則のようなものです。必ずパフォーマンスにはサンクション（注：承認や制裁）があるのは当然だと。それに対してその額というのは、その人間の社会的ステータスである。これは日本のどこに行っても通るステータスじゃなくては困る。こういう考え方が出て来ます。

戦国のリーダーは器量（能力）絶対

これが極限まで行くと下剋上《げこくじょう》ということになります。戦国のリーダーはみんな器量絶対ということがしばしば出て来ますが、今で言えば能力絶対ということです。織田信長《おだのぶなが》などは、能力絶対は当たり前ですが、最も保守的と言われる上杉謙信《うえすぎけんしん》なんかでも家中《かちゅう》の序列は能力絶対です。

器量による順位以外一切認めない。ですから何によって測るかというと、戦場でいい働きをすると感状（注：軍事面で功労を果たした下位の者を評価、賞賛する文書）というのをくれます。これは旧陸軍にもあったんですが、感状を何枚もらったか、それだけです。

感状の枚数がそのまま席次になる。いちばんたくさんもらっているのは二十四枚でそれがトップに座る。枚数が減るにしたがってだんだん席次が落ちていき、一枚ももらえないのはその他大勢と、その存在を認めてくれない。

日本人には、その人間の評価というものはすべて器量だけに基づくという一面がありまして、企業経営と言う場合、人を能力で判断しない場合に日本人は非常に不満に思います。能力原則以外に血縁原則などが入って来るとこれを不正と感ずる。これは中小出版社なんかにもありますが、社長の弟が編集長になったら、おれは絶対やる気がしないとか。これはすなわち、能力がないのに血縁というだけで抜擢《ばってき》されるということは、日本人にとっては許しがたい不正行為でして、これをやると忠誠心は一切なくなるんですね。

これはおそらく韓国などと非常に違う点だろうと思います。十三世紀以来の原則ですから、こういう原則はそう崩れないだろうと思います。ですから忠誠心が崩れるという時には、これが機能しなくなる。

機能しなくなって来るのは実は徳川時代で、その時にどうしようかと武家が非常に悩むわけです。その後に今度は別な価値観が徳川時代に出て来ますが、その時もやっぱり器量ということがたいへん重んじられる。

これは経済官僚としての能力ですが、藩というのがみんな財政的に困って来ると、戦争がうまいよりも経営がうまい人間のほうがいい。だから算盤《そろばん》や算用（注：金銭計算）が町人以上という侍《さむらい》がいっぱい出て来るわけで、これが藩をうまく経営していると立ち直り、そういう人材が取り立てられます。ところが旧型の武士は、これがはなはだおもしろくない。そこでお家騒動がよく起こるわけです。

幕末になると、経済的に非常にうまくいっている藩と破産直前の藩の二つが出て来ます。経済官僚をうまく使った藩はやっぱりうまくいっているんですね。一方、旧型でやっていた藩はもうだめで、維新の時の優劣を見ていると、そういう人間はたいていは後で失脚しています。

どこかで財政立て直しを完全にやった人間がいた藩というのは優勢で、これが出来なかった藩はだめなんです。こういう評価というのが徳川時代に出て来ますが、その評価が武家内で確定しないうちに明治になってしまう。

隠れていたリーダーシップ

明治になりますと、ほぼこちらが当たり前になって来る。メリットクラシーが経済的な功績で評価されるのが当たり前。これが徳川時代では、なかなか当たり前にならないんです。当たり前になるのに、ずいぶん時間がかかっているんです。

いわゆる経営能力があるのが立派な人間であって、これが社会の指導者になって当然だという意識が、潜在的にはずっとあるんですけれども、なかなかこれが表向きには出て来ない。これが当然のことのように出て来るのが明治時代で、このことは福沢諭吉《ふくざわゆきち》も『旧藩情』という本の中で指摘しています。

昔は隠れていた、と言いますか、認められなかったひとつのリーダーシップというものが、明治では当然のことのように認められるようになったと。これがあの時のいちばん大きな変化と見ていいんですが、これは基本的には十三世紀以来続いている現象です。

ただこれがあまり強くなりすぎると困る。というのは、有能な者が下から出て来ると、上の人間を追い落とす下剋上というのは、日本の場合、絶えず出て来て当然なわけです。だいたい北条氏なんていう伊豆の第一官人が勝手に日本国の法律を出すということだけでもたいへんな下剋上で、しかも貞永式目の最後のサインを見ますと堂々と「武蔵守《むさしのかみ》 平《たいらの》朝臣《あそん》泰時《やすとき》」と書いているんですね。なんで武蔵守が日本国の法律を出せるのか、これが日本のおもしろいところで、そういう正統論（注：国家権力の正当性の根拠を考察する理論）というのは、武家には元来は一切ないんです。

これがないものですから逆にうるさく言い出すのが、山崎闇斎の頃、朱子（注：儒教の中興の祖）の正統論が来た時には、みんな兜《かぶと》を脱いじゃうわけです、こういう議論があったのかと。

ああいうのを見ると、日本人はああいう体系的な思想を作るのを嫌いというか、やりませんので、その代わりそれが来た時には劣等感をものすごく抱いて、その前にシュンとなってしまう。

ですが、本当はどうもシュンとしていないらしく、これはマルキシズム（注：マルクス主義）が来た時もシュンとなるし、朱子学が来た時もシュンとなって、みんなあれが絶対だみたいなこと言い出すんですが、それを本気にした藩というのは、後でみんな潰《つぶ》れちゃうわけですね。

水戸藩が本気にして、それから会津藩が本気にして、保《ほ》科正之《しなまさゆき》（注：二代将軍徳川秀忠の四男）は山崎闇斎の弟子ですし、水戸《みと》光圀《みつくに》は朱舜水《しゅしゅんすい》（注：明の儒学者）の弟子ですが、そういうのはみんな潰れてしまうんです。あれは利用するための建前《たてまえ》であって、本音《ほんね》は違う方向でやったほうがいいと思っている藩がだいたいリーダーになる。

あまりまじめに信用してはいけないんですけど、ただ来た時にはみんなシュンとしますが、それは元来そういう発想は全然ないからです。だからリーダー自身が下剋上で、正統論から言うとまったく問題にならないようなことをやっているわけです。

東京都知事ほどの位置ですらないのですが、それが勝手に日本国の法律を出して最後に東京都知事とサインしているようなもの、これを平気でやっている。そうなると、下も平気でやり出すのでどうにもならない。能力があれば構わないということになって来ます。

すばやく機能主義になびく

一面ではこれが下剋上というふうになります。これは日本の社会ではアクセルみたいなもので、これがあるから、歴史を駆け足で駆け抜けるような勢いで絶えず無能な人間を追い落としていくという一面があるわけです。

機能しない者は絶対に認めない。機能すると言ったら、たちまちそっちに乗りかえる。

これはもう一貫しています。

「弓矢をとる」というように、弓矢は武士の象徴のようなことを言っていたのが、鉄砲が来るとたちまちやめてしまう。鉄砲のほうが機能するならそっちを取りましょうというわけです。いろんな説があるんですけど、当時の日本の持っていた鉄砲の数というのはヨーロッパ全部合わせたより多かったんじゃないかと言われます。たちまち量産に移るということをやるわけです。李御寧《イオリョン》（注：講演当時、梨花女子大学・東大比較文学研究員）が確か三十万丁と書いたんですが、この数字はちょっと多すぎるようです。何の記録に基づくかわからないのですが、ただどう見ても、ヨーロッパ全部の小銃の数よりあっという間にたくさん作ってしまったらしいということは言えるんです。

つまり、こっちのほうが機能すると言ったら昨日まで使っていたものをすぐやめてそっちに移るということはなんでもない。これは明治にもいくらでも現れています。能力主義が社会的に機能する時というのは機能主義になるので、機能しないものは認めない。その代わり機能するものはすぐ採用する。

明治における、明治元年（注：一八六八年）から明治四年までの新聞を見ていくと、まことにおかしなことというか、驚くべきことが次々に出て来るんですね。行灯《あんどん》よりもランプのほうが明るいのは当然ですが、ランプを見てはじめ、みんな驚くわけです。幕末からある程度知っていますが、石油がないからどうにもならない。そこですぐ石油を掘ろうと、自分で石油を掘り出すわけです。

明治四年になりますと、石坂霞山《いしざかかざん》（周造《しゅうぞう》）という人が石油の精製法を発明したという記事が新聞に載っております（注：「文藝春秋」一九八三年三月号所載「切腹と石油」――本書第四章に収録）。明治元年には白虎隊《びゃっこたい》が切腹しているわけで、それから満三年経っただけで自分で石油を掘り出して、自分でこれを精製するという状態が出て来るわけです。

どうやって掘ったのか、いろいろおもしろいから調べにいきました。井戸を掘るのと同じで、人間がはしごで降りていって穴を掘って、下から石油を桶でくみ上げて、それを今度はつるべで上に引き上げるという方法をとっています。下に空気はありません。ガスが湧くので、空気がないと人間が死んでしまいますから、上にふいごがあって、二人の人間が絶えずふいごを踏んで下に空気を送るのです。

石油は枠《わく》をはめて掘っていくんですが、重油が染みこんで枠が腐らないので、今でもそのまま残っています。ものすごく深い穴を掘っているんですね。

海底油田を掘ったのも、アメリカが最初だと思ったら、実は日本人が最初です。日本人のほうが早いんですね。新潟県出雲崎《いずもざき》の尼瀬《あませ》という海岸です。浅い海からボコボコ油が出て来る。たちまちそこへ島を築いて、同じように手掘りで掘っていくんです、枠をはめて。精製はどうしたかというと「らんびき」という焼酎《しょうちゅう》をつくる技術をそのまま転用して、それで石油を作った。

こっちが便利だと言った瞬間、すぐにそっちに切り替える、自分で何とかやっちゃうわけで、ワードプロセッサーとか、オフィスコンピューターとか、あるいはロボットというのは、いかに入って来ても、ある意味において入って来るのが当たり前の社会なんですね。

こっちが機能すると言った瞬間にそっちを取るのが当たり前で、そっちを取らないで昔の通りやっていて滅びる人間は器量がないのであって、そんなのは滅びて構いません。

集団安全保障の発想

これは戦国時代でも常にそうなんです。この点、たいへん危険な社会です。それを法律にしちゃったようなのが、貞永式目・第八条の二十ヵ年年紀制（注：たとえ違法に入手しても、二十年の時効で正当な所有者になれるという制度）で、ボヤボヤしていて所領を取られちゃったら取られたほうが悪い、訴訟を受けつけないと言っているんですから。

こういう法律というのは、世界中どこを探してもあまりないと思うんですね。ですから相続まで能力ある者にさせろ、なんでも能力、器量絶対と、同時に社会的には機能するものが絶対という形になります。

これはアクセルのようなもので、暴走すると危険だという意識はありますが、そういうところを法律その他できちんと決めるということはしないで、みんなで集団安全保障をとろうという発想が足利中期頃から出て来ます。

これは国人一揆《こくじんいっき》と言って、日本における一揆（注：特定の問題の解決や目的達成のために結成された集団）のいちばん古いものです。一揆と言うと百姓一揆と、誰でも誤解するんですが、国人というのは地方小領主ですが、これが集団安全保障をやろうと、それでみんなで集団規約を作って、みんなの安全を図ろうということになります。

これはブレーキみたいなものです。これはいろいろありまして、契約という言葉が盛んに出て来るのはこの頃からなんです。

以前の日本人にはあまりありません。この契約というのは何を言っているかというと、今の日本語で使う本来の意味の契約とか、「契諾」という言葉も使っています。承諾の諾を書きます。ただ「契」と言う場合もあります。ちぎりですね。

下に状を付けて契約状とか契諾状とか契状とかという書類があって、「一味同心」（注：一揆発足の儀式を行った者）という言葉がよく出て来ます。これは、日本は中国のような父系姓血縁集団というものがないので、一族といっても、きわめて怪しいもので、本当に一族なのかどうかわからない。

一族のやつが寝首を掻《か》きに来るということはいくらでもあるわけですから、それは非常に危ないから一族がもう一回一族であることを確認し直すという文書もありますし、血縁を再確認するというか、みんなで共同でやろうというのもありますし、地縁だけの場合もあります。

ですから何族かわからないんですが、陸奥五郡《むつごぐん》一揆《いっき》契状というものがあります。陸奥五郡の人間、小領主がみんなで集まって集団行動をしましょうと、集団規約を作ったわけです。その成員には、地縁もあるし、血縁もあるし、見ていくとわからないんですね。この頃、会社もありますから、社縁というのもあるんだろうと思いますが、地縁、血縁どっちでもいいんです。

そういうところが融通無碍《ゆうずうむげ》でして、ただ文章になっているのもありますし、箇条書きになっているのもあります。私が見た中でいちばん条文が多いのは十八ヵ条、少ないものですと四ヵ条か五ヵ条。

何が書いてあるかと言いますと、全部見ると原則があって、「抜け駆けをしないこと」、これが第一条。次に何事も全部一揆のメンバーに相談すること。「何事も一揆に諮《はか》り多勢によるべし」。それから一揆内の揉《も》めごとは絶対に外に出さないこと。どのような揉めごとがあっても、みんなが集まって来てみんなで相談してみんなの意見を聞けと。それから、当時いろんな争いがあるわけで、笠懸《かさがけ》（注：騎馬で弓矢を用いた戦い）という突発的な喧嘩もありますし、絶えず出て来るのが所領相論、所領の境界争いですね。

日本人は土地の境界ということになると、あの時代から神経症的なんです。一坪でも取るか取られるかが命懸けで、一所懸命で、命懸けになる。これは今でも残っています。

ほんとに土地問題になると、ちょっと財産問題じゃなくて人格問題みたいになっちゃうところがあるんです。あの頃からそうで、絶えずこれが起こる。それを必ず一揆の中で、みんなで取りまとめて外へ出さない。

次に自分の一揆の成員と他の一揆の成員とが争いを起こした場合どうするか、これも出て来ます。この場合、全員で集まってよく事情を聴《き》いて、「理非を糺《ただ》し」という言葉がよく出て来ますが、こちらに理があると思った時には全員で援助する。こちらに理がなかったと思った時は打ち捨てておくということになっています。

これは日本人の集団の喧嘩にもよく出て来て、こっちが正しいと思うと全員が総立ちになりますが、どうもこっちの言っていることが正しくないらしいと思うとシュンと黙って、みんな知らんふりをしているというのが原則化されているわけです。

それからもうひとつおもしろいのは、たとえ「公方《くぼう》の命なりと雖《いえど》も一揆に諮り多勢によるべし」という言葉があります。公方というのは将軍です。たとえ将軍の命令であっても、将軍の命令だからといってすぐ聞いちゃいけない、一揆に相談して多数決によれと書いてあるんですね。

これはまことに意味が不明です。将軍の命令が絶対なのか、一揆の決議が絶対なのか、どっちが絶対なんだと言われるとわからないのです。

局長一揆は健在

しかし、私には非常におもしろいんですが、今もこれが日本にあるんじゃないかと思います。社長の命なりといえども常務会一揆に諮り、多勢によるべしみたいな。そういうところですね。

たとえ部長の命なりといえども課長一揆に諮り多勢によるべしとか、そういうひとつのシステムになっているんじゃないかという疑いを持ちました。

ちょうど大平政権（注：一九七〇年代後半）の時に政策研究会か何かの会議の座長をやったものですから、まず最初に高級官僚に訊《き》いてみるのがいちばんおもしろいと思って、大蔵省（注：現財務省）の局長さんに、大臣がこれをやれと言ったらすぐやりますか、それとも局長が全部集まって相談をされますかと訊きました。そうしたら局長が全部集まって相談をするという答えが返って来ました。

やっぱり局長一揆というのがちゃんとあるんです。たとえ大臣の命なりといえども、局長一揆に諮り多勢によるべしということになっているわけですね。

なぜ集まるんですか。省令で決まっているんですか。法律で決まっているんですか。次から次へ訊いていきました。すると、法律にもありません、省令にもありませんということです。では、なぜ集まるんですかと訊くと、集まるから集まるんですと。理由はないんですね。

それは組織の原則から言ったら、おかしいんじゃないですか。その方が関税局長としますと、大臣がこうしろと言ったら関税局長はその通りにやればいいわけで、なにも局長が集まって相談しても意味がないと思いますが、意味がなくても、そういう時には必ず集まるんです。

局長の一揆の決議に基づき、この大臣の指示には従えないと言って突っ返すことはあるんですかと訊きましたら、いいえ、そういうことは絶対にしません。しないなら、なにも集まることはないんじゃないですかと、そういう問答を何度も繰り返しました。その時、少しアルコールが入って来るとだんだん本音が出て来て、どうしても困るというご指示もたまにはございます。そういう時は、一、二週間そのままにしておいて、次官を通じてそれとなくほのめかしていただくと立ち消えになります、とのことでした。

これが言わば公方と一揆の関係で、どちらが決定権を持っているかよくわからない。たとえ公方の命なりといえども一揆に諮り多勢によるべしというのは、江戸時代の殿様と家臣の関係もそうなんですね。

ですから、たとえ殿の命なりといえども家臣一揆に諮り多勢によるべし、が出て来るんで、下手をすると家臣が、お家の一大事と、家臣一揆のほうが殿様を殺しちゃうなんていうこともあるわけです。殿様が生きていると、この藩は潰されて、自分たち全部失業しなくちゃならないんじゃないかという時には、切腹させてしまう。

私のところの殿様は水野家ですけども、頭領水野《みずの》成行《なりゆき》は白柄組《しらつかぐみ》（注：白柄の刀、白革の袴《はかま》、白馬に乗ったアウトロー）という不良侍の長みたいな者で、幡随院長兵衛《ばんずいいんちょうべえ》（注：江戸前期の町人で日本の俠客《きょうかく》の元祖）なんか呼んで殺してしまう。

ところが町奴《まちやっこ》（注：遊俠の町人）に復讐され、唐犬権兵衛《とうけんごんべえ》（注：幡随院長兵衛の配下）に代償を取られちゃうんですね。耳か何か切られて家に逃げ帰って来る。ところがなんと言っても旗本のリーダー格の人ですから、それが町人と喧嘩して刀を取られたなんていうのはどうしようもないんで、しかも片耳切られたなんてもうどうにもならないわけです。

向こうもずるいですから、殺したら危ない、そこで知らんぷりしている。すると水野家の老臣が来て、切腹させちゃうわけです。そして、すぐ幕府に届け出て病死したということにして、相続を願い出ます。

こういうところを見ると、殿様なんていうのは絶対的権限を持っていないんで、家臣団一揆というのは殿様を切腹させてしまうということも出て来る。その時に水野の殿様が「なぜだ」と言ったかどうかは知りませんが、似たようなものだろうと私は思っています。この妙な関係というのが、日本のあらゆる組織の中に絶えずあります。

リーダー一揆を作る

実は戦国大名の出来方《できかた》には、片方に器量絶対というのがあるんですけれども、もうひとつ別な原則があって、国人一揆のリーダーがまた一揆を作るんです。それが積み重なっていって出来るのが毛利《もうり》家です。

安芸《あき》の国（注：広島県）の国人一揆のリーダーで、一揆というのは全員平等な立場でサインをしているので、その平等を証明するためによく傘形連判《かさがたれんぱん》（注：円環状の署名）というのをやるわけです。

丸を描いて、丸の中心から外へサインしていく。これは円卓会議をそのままサインにしたような形で、傘《からかさ》連判とか傘《かさ》連判などとも言います。その中の優秀な人間がリーダーになっていく。さらに、その一揆の上のリーダーがまた一揆を組む。リーダー一揆と言います。そのリーダーがまた一揆を組む。だんだん積み重ねていって、ひとつの大きな土地を支配する。こういう形で出来ていくのが毛利家です。

戦国大名の出来方はいろいろありますが、だいたい能力主義と一揆の積み重ねと両方が併用する形で出て来ます。これが信長ですと、一揆を絶対に認めないでみんなぶち壊すという方法を取るわけです。ですからたいへん独裁的な強力なリーダーになりますが、その代わり基盤が危ないです、一揆的なものは残っていますから。いつ一揆に、逆に首を切られるかわからないというふうになって来る。

毛利家みたいなのは非常に安泰です。どんなに負けたって安泰で、あれは中国全部から兵を動員して、信長みたいにやれば何でもないことですが、出来ないというのはつまりみんな一揆が大事で動きませんから、そんなに動員できる兵隊がないわけです。そうなると守るだけで、攻めることが出来なくなる。広がっていく時は、一揆が広がるように広がるけれども、それを全部動員することは出来ないんです。ですから内部が絶えず怪しい。いつも決心がグラグラなんです。

毛利《もうり》元就《もとなり》が死ぬ時、三本の矢を束《たば》ねろとか言いますが、あれはつまり一揆のリーダーの行き方で、信長ならそんなことはなく自分一人でいいというふうになります。おかしなことに毛利家だけは今でも残っていますが、織田家も豊臣家も、堂々たる形では続かなかったんですね。だからリーダー一揆というのは恐ろしく守りが強い。関ヶ原でも、最後までグラグラしているのが毛利です。決心が誰もつかない。だから毛利《もうり》輝元《てるもと》が豊臣秀頼《とよとみひでより》を擁して関ヶ原に出陣して来るのをみんな待っているわけですね。

あれをやられると徳川家康《とくがわいえやす》なんか非常に困るわけで、ほんとに豊臣家恩顧《おんこ》の大名は、秀頼が出て来たらどっちにつくかわからなくなるという状態が出来そうにもなるんですね。そうかと思うと、小早川秀秋《こばやかわひであき》（注：元就の三男・隆景《たかかげ》の養子）がどっちにつくかわからない。誰もわからない。石田三成《いしだみつなり》なんかもあれは怪しいと思っていますから、対応策は立ててあるんです。

毛利家というのはみんな、いつも怪しいと周囲に思われている。ところが秀秋自身がグラグラして最後まで決断がつかない。下が一揆になっていますから、一揆がどう言うかで決める以外に方法がないんです。

家康がイライラ、イライラして、これがなかなか動きません。それから吉川家《きっかわけ》（注：元就の次男・元春が継いだ毛利の末家）は山の上で眺めていて動かないんです。勝ちそうなほうにつこうというわけで、一揆から上がっていったリーダーはそこに非常に大きな限界があります。いわゆる「和」、「和」の指導者になるわけで。

器量方式と一揆方式

「和」というのは傘形連判をやると、あれも「輪」、リングですから、リングの積み重ねみたいになっていきます。維持していく時には、それさえ崩れなければ強固だけれども、大きな方向転換は一回も出来ていません。ですから戦争は、ある意味でまずいんですね。

徐々に膨《ふく》れていくのは非常にうまいんですが、天下を取るといったような野心は絶対に持ってはならないというのが毛利家の方針だったそうです。そういうわけで決戦に乗り出すということが、こういう組織には出来ない。

これを武家における二つの原則と私は呼ぶんですが、ひとつが器量絶対でどんどん出ていく。もうひとつはそれが非常に危ないから、一揆を作って自分の身を保全しようとして一揆に一揆を積み重ねるような形で組織を作る。だから一揆内から推されてリーダーになるんですね。そのリーダーの一揆がまた出来て、そこから推されてリーダーになる。こういうふうになっていく面と、器量絶対と両方あるんです。

ですから非常にうまく機能しているという会社を見ると、この二つがうまくバランスがとれている。本当に能力のある人間が一揆からうまく推されて出て来るように、総リーダーがリードする。それがまた一揆を作ると、そこからそのリーダーが非常にうまく推されて出て来るような形に持っていく。それでみんな、たとえ部長の命なりといえども課長一揆に諮り多勢によるべしというような形で上と下が絶えず相談をしているという。

やることは全員が知っている。それが下の下まで輪になってつながっているような形で、これがだいたい日本人の組織の作り方ですから、マニュアルなんてなくていいんですね。一揆が相談して決めればいいんです。社長が方針を言えばマニュアルは一揆が相談して決めます。それがずっと積み重なっているような形になっているわけです。

外交問題でつまずく日本の深層

日本型リーダーはこの点で限界が出て来る。これは経営、経済の場合、私はわりあい問題が少ないと思っています。というのは、経済的合理性は否応《いやおう》なくチェックしますから、全員が経済的に不合理なことは出来ないという前提に立っていますから、戦後日本は経済だけうまくいっているとよく言われますが、一揆方式というのは会社にはいいんじゃないかと、メリットクラシーと一揆方式の併用ですね。これはいいのではないかと思います。

ただこれが政治になると、原則がそう明快ではありません。たとえ総裁の命なりといえども派閥一揆に諮り多勢によるべし、これが当たり前になっているんです。

派閥のリーダーがまた一揆を作る。派閥は、内部は建前は一応平等ですが、そこからリーダーが一人出て来る。そのリーダーがまた一揆を作る。そのリーダー一揆が内閣を作ると、こんな形になっております。

ところが代議士の下にあるいろんな後援会、あれも一揆なんですね。非常におかしいんで、やっぱりこういうことは変わらないものだなと思うんですが、あれが政治に出て来た場合、どうなるかと言いますと、いちばん問題になるのが、国内はそれでいい、いいもわるいもそうなんだと言ってしまうとお終《しま》いなんですが、外交の処理というのは出来なくなる。

だから日本が明治以来つまずくというのは、内政問題じゃなく、全部外交問題じゃないかと思うんです。内政問題は一揆的に処理していけば、先祖伝来そういった知恵はみんな身についていますからいいんですが、外交上たとえば、アメリカのリーダーとある約束をして来ても、一揆に諮り多勢によるべしなんて言われたら誰も信用されなくなってしまうんですね。おそらくそれに似たことは、絶えず起こっているんだろうと、私は思います。

ですから日本のリーダーの限界というのは、企業ではあまりないだろうと思っています。これはメリットクラシーが機能して、この一揆型組織というのがうまくそれとマッチしている限り大丈夫。いちばん危ないのが政治のほうで、特に外交においてはこれが危ない。

この辺は非常にこれからも危険だろうと思います。誰が決定権を持っているかわからないというのは、戦前の向こうのいろんな人が書いたものにも出て来ますし、戦後も出て来ます。幕末も出て来ます。

日本的うやむやの仕方

一体、日本には中央政府があるのかないのかわからない、今でもわからないじゃないのかと思うんです。この前、アメリカに行った時に、お名前はちょっと忘れましたが、「フォーリン・アフェアーズ」（注：外交問題評議会が発行する雑誌）の方と話して、幕末に日本に中央政府があるかないかということをたいへん問題にしていると。これは確かにあるとも言えるし、ないとも言える。

徳川幕府は徳川藩の政府だとも言えるし、日本国政府だとも言える。あれは大名一揆のリーダーですから。だからこれと条約を結んでも、その条約が全国にちゃんと機能するかどうかというと、幕府はちっともそんなことは保証出来ないわけで、たとえばある条約を結ぶと、それが薩摩《さつま》藩《はん》までも拘束し得るかというと、拘束し得るとも言えるし、し得ないとも言える。たとえ外国と条約を結ぼうとも、大名一揆に諮り多勢によるべしになりますから、これはまったくわからない。まったくわからないから、どうにも出来ない。

こういう状態は今も同じだと言われたんですね。誰に言ったらちゃんと物事が決まるのか、われわれにはさっぱりわからないんだと。総理大臣が約束した約束通りに実行してくれるとは限らないし、外務大臣なんてもっと当てにならないし、政府に何か言うと、それは経団連が、経団連に行くと、いや、それは政府が決めることだと、誰が決定権を持っているのかさっぱりわからない。今も昔もこの点は変わらないんですね。

ただ日本国内では、これがわりあいうまく機能するということが、外交の場合には大きなマイナスになって来ると思います。

もうひとつ、今言ったように一揆に諮り多勢によるべしで、上の命令を下が消してしまうことが、ないしはうやむやにしてしまうことがいくらでもあるわけで、ところがうやむやの仕方がちゃんと日本では決まっていて、先ほど言ったように、そういう時は次官を通じてそれとなくほのめかす。それとなくほのめかすと大臣のほうも自主的に引っこめるわけで、局長一揆の決議に基づき大臣に指示を突き返すということは、絶対にしないわけです。

徳川時代も、今も同じで、一揆が上に対して上の指示を拒否する場合に、必ず礼を重んじなければならない。

「法治」ではなく「礼治」「敬語治」

これは中国の『礼記《らいき》』などとは非常に違うんでしょうが、ちょうど一揆が出来て来る時代は、『論語』が日本に普及し出す時代です。正平十九年（一三六四年）に『正平版論語集解《しっかい》』というのが出来、はじめて印刷されるわけです。

これはヨーロッパにおける聖書の印刷よりも約一世紀早いです。それまでは朝廷で清原《きよはら》家《け》なんかが講義をしていたんですけど、そんなに普及したわけではない。ところが当時、印刷されると、みんなこれを読むわけです。どんどん一揆と同時に『論語』が浸透します。『論語』というのは中国では、はたして正規の教科書なのかどうか、私もよくわかりませんが、せいぜい副読本ではなかったのかと思います。だいたい四書《ししょ》（注：儒教の経書『大学』『中庸』『論語』『孟子』の総称）が確立するのは朱子の時ですから、しかも『大学』『中庸』『論語』『孟子』と、『論語』と『孟子』はいちばん後ろのほうにくっついているのに、日本人は儒学と言うと、孔孟の教え、『論語』と『孟子』のことを言います。

さらに五経《ごきょう》（注：『易経』『詩経』『書経』『春秋』『礼記』）なんて、そこまで知らないというか知る必要がないというか、ですからもっぱら副読本的なものを読んでいた。こう解釈していいと思います。

これがたいへんに日本にマッチして、日本人が儒者と言う場合、実は論語者であって、論語読みの論語知らずという言葉が元禄時代に出て来ますが、これは『論語』が非常に普及したという証拠なんですね。論語読みは至るところにいるけれど、同時にあれは『論語』のことをいろいろ口にするけれどその通りにやっていない、こう言える庶民が同時にいたという状態にならないと、ああいう諺《ことわざ》は出て来ません。そのように浸透していきます。

ですから日本人が礼儀正しいとか礼儀を重んずるという場合、だいたい論語的な、いわゆる鞠躬如《きっきゅうじょ》（注：身をかがめてつつしみかしこまる）として、というような言葉がありますね、ああいう形で下が上を拒否すればその場合、問題ないんです。ただし下が上の言うことに賛成しても、そういう意味の礼というのを重んじないと、たいへんなことになる。

実は日本の企業における秩序は何で保たれているかというと、上の指導者と下の一揆というのが絶えず従っているのか、対立しているのかわからないような形になっていながら、それでいて上下関係をきちっと決めているのが実は敬語しかないんです。

いろいろ調べていくと、最後に何が残っているのか、敬語だけなんです。どっちがどっちに敬語を使っているかというだけで上下関係が決まっているわけです。

これは日本的な、『論語』の影響を受けた礼というような概念が言わば敬語という言葉の形になって、それで秩序が作られてしまう。

徳川時代のリーダーが重んじているのは、それだけです。だから「法治」ではなくて「礼治」、「敬語治」。戦国の大名を、ヨーロッパから来た宣教師は全部、独立国と見ています。実は独立国と見るほうが正しいんです。司法権立法権行政権はみんな持っているわけで、自分の官僚を持って自分の軍隊を持っていますから。

薩摩藩みたいに勝手に外交をやっているのもいて、外交文書も取り交わしている。イタリアなんかから来れば、たとえばベネチアが独立している、ミラノが独立しているのと同じように、みんな日本というのは独立国がいっぱいあるんだなと見るのは当然なんですね。ところが独立国という意識を彼らが持っているかというと、持っていないんです。それでは天皇の命令に従うかというと、何も従わない。命令に従わないけど、礼儀だけは非常に正しい。日本の場合、礼儀正しく命令に従わないのは構わないんです。これを見ていると、上下秩序は礼だけです。

徳川時代に勅使が来ると幕府はたいへんなんです。しかし天皇の命令を聞くかというと、ちっとも聞かない。ですから日本の上下《うえした》のバランスをとるような妙な秩序というものを秩序づけるもうひとつの要素が、礼であって、見ていくと本当にそれしかないんですね。

メリットクラシーと一揆と礼

前に、日本には組織というものがなくて、いわゆる敬語的秩序しかないと言ったら、おっしゃる意味がよくわからないと言われる社長さんがおられました。

私の言っていることは簡単なことで、社長に向かって、たとえば、あなたは社長さんだけど、社長に向かって、おっしゃる通りにしますと言おうと、てめえの言う通りやってやると言おうと、意味は変わらないということです。どっちでも英語に訳したら、あまり変わらないと思うんです。ところがこれの秩序を崩したら、日本の秩序は一切崩れる。

これはつまり、今言った、一方においてメリットクラシーがあり、一方において一揆と上との妙な関係があって、三つ目にあるのは、これを守らなかったら絶対に許さないということ。こんなことは社規社則にもどこにも書いてありませんが、本当に許さない時は、この時なんですね。

この三つで秩序づけられている。これが日本のあらゆる組織に共通するひとつの原則でして、これが日本のリーダーのひとつの限界を形成していると思います。同時にこの三つを非常にうまく有機的に動かせば、いちばん能率が上がるんじゃないかと思います。メリットクラシーとそれから一揆と礼ですね。おそらくいろいろ分析して最後に残るのは、どうもこの三つだけらしい。

前にも述べましたが、矢野暢先生が「劇場国家」ということを言われましたが、日本はそんなにまじめな劇場国家ではないんで、本当にまじめな劇場国家はむしろ韓国だろうと思います。

中国の通りにやって一生それを演じきって死ぬみたいなところがあるんですが、日本人というのは昔からまじめじゃないですから、楽屋に入ると全然別なことをやっている。

みなさんの会社も表向きはいろいろヨーロッパ型の社規とか社則とかいっぱいあると思いますが、誰も読まないと思うんですね。読むとあれは舞台上のセリフであって、楽屋の中はまた別の秩序がある。ですから限界という点があるとすれば、この点に出て来るだろうと思います。

【初出：日本文化会議刊「文化会議」一九八三年二月刊の第一六四号。一部、句読点などを改訂】

第三章　日本の「当たり前」文化の構造

継受法と固有法の行き来

われわれの伝統的な構造、精神構造、社会構造は、どの辺にはじまってどう出来て来たんだろう、これがいちばん興味があるわけです。

徳川時代ですと『論語』というのをみんな読んだわけですが、『論語』以外の四書というものには中国人のように日本人は対していないですね。自己の伝統に合うものを採用して、それに基づいて考えているだけで、ちっともその通りにはやってはいないという点があります。

日本というのはある時代は継受法（注：他国の法制度に基づいて制定した法）の世界でした。これは決して日本だけじゃないわけで、どこの社会にでもあるわけですが、外国の法典をそのまま借りて来て自己の法律にする。法律を輸入するというのは一種文化の輸入ですから、これは継受法文化と言ってもいいわけです。

もうひとつが固有法（注：ある国家に固有のものとして出来た法）の世界です。中国という国はたいへん誇り高いですから、どんなことをしても固有法文化です。

しかし他の方法とか他の思想の影響はずいぶん受けており、たとえば朱子学《しゅしがく》について

「陽儒陰仏だ。陽というのは表《オモテ》のことで、すなわち表は儒だけど内容は仏だ」という批評もあるほどです。しかし「インド思想である仏教の影響をたいへん強く受けていても、それは決して自分たちの法とか体制に採用しない。ですからあくまでも自分たちは伝統的に儒の世界である」という、たいへんに強い伝統を持っているわけです。

こういうのは一種固有法文化と言っていいわけで、どこかから法律を継受したという伝統などない文化です。旧約聖書もそうなんで、あれも古代オリエントのいろんな影響を受けているはずですが、どこかの法を継受したという建前《たてまえ》にはなっていません。あくまでも先祖伝来の自分たちの固有の法であるという形になっているわけです。

ところが日本は違って、律令《りつりょう》というのはそもそも中国からの継受法です。明治もそうで、憲法問題でよく言われますが、新憲法、明治憲法などと言っても、憲法などというのはそもそも明治に継受したものであって、それ以前の日本にはないわけです。ですからわれわれには継受法文化の時代——これは非常に古い時代にもありましたが——現代もある意味ではそうです。

ただ、日本に固有法文化がないはずはありません。どの民族でも継受法文化には必ず背後に固有法があるわけで、法を継受したからといってすぐクルッと民族が全部変わってしまう、これはあり得ません。

そして、そういう馬鹿なことは絶対やるべきでないと明治期に言ったのが、民法典論争（注：一八九〇年頃、旧民法の施行を延期するか断行するかをめぐる論争）の時の穂積八束《ほづみやつか》（注：法学者）です。日本の場合、外国から法律を全部輸入して、翻訳をして、それをそのまま施行しようとしているが、こういう馬鹿げたことを絶対やるべきではないと、彼はその時たいへん強く主張しました。ただ、明治政府はそれに対して反論はしていません。

もちろん梅謙次郎《うめけんじろう》（注：法学者）の反論のようなものはあります。しかしこれはただ、民法を改正しなけりゃ条約改正が出来ないと言っているだけで、あくまで便宜主義的な返事でしかなく、法を継受したほうが絶対によろしい、こちらが正しいんだっていうことは一言も論証していないのです。

貞永式目の登場

では、日本の固有法とは何か。

日本で固有法が出て来るのは貞永式目《じょうえいしきもく》です。私が日本人の基本を考えた場合、ある原則に違反すれば日本ではだめになるのが当たり前という状態と、その基本をどこに探るかと言いますと、貞永式目なんです。この辺がだいたい法として表に出て来たはじまりと考えていいと思います。

それ以前の継受法は、大宝律令《たいほうりつりょう》、いわゆる律令格式と言われるもので、たいへん権威を持っていたように見えますけれど、その通りにやったら全部だめであった。だめであったから、代わりに固有法の式目というのが出て来た。これが明治まで続くわけです。

徳川時代の人間はみんな貞永式目の通りに町人たちはやっていて、当時はこれを覚えるということが基本になっていて、寺子屋の手習いの手本にも貞永式目を使ったわけです。まことにおもしろいので、たくさんこれが出ており、今で言う劇画入りみたいなものも出て来ているんですね。ですから普通の出版社が営業として、これを出版していた。つまり民間の法というのは、これによって行われている。水戸の歴史家ですけど安積澹泊《あさかたんぱく》という『大日本史』を編纂《へんさん》した人も、これを言っております。

現在に至るまで民の法、いわゆる民法である。ですからこれは実に深く日本人に浸透しているわけで、だいたい貞永式目の通りにやっていると日本ではそれが当たり前でして、それに違反すると当たり前ではないことになります。

これを最初に、継受法文化から固有法文化へ移ったという言い方をしておりますのは幕末に出た伊達千広《だてちひろ》という歴史家です。今じゃほとんど忘れられましたけれど、この人が『大勢三転考《たいせいさんてんこう》』というたいへんおもしろい本を書いております。

天下の大勢が三回変わったという意味で、いちばん古い時代を骨（かばね）の時代、その次が職（つかさ）の時代、その次が名（な）の時代、というように日本史を三つに区分していて、これは日本人が自らやった歴史区分でいちばん古いものだろうと思います。

中国にはこういう区分法はなく王朝によって区分するだけですから、大勢の変化によって歴史を区分したのはおそらく、彼は幕末に近い人ですが、彼が最初であろうと思います。

骨の時代というのは、つまり日本の伝統的な固有法があって一種の部族制のような形で、それがそのまま体制になった時代。次の職は朝廷が中国から文化を輸入して、すべてを中国的に直して、いろんな職制を作った時代です。ところが、そこからまた逆に武士というものが発生して大名小名が出来た。これが名の時代です。

「当たり前」がこれだけ違う⁉

こういうふうに彼は三つに分けているわけですが、この分け方は固有法文化、継受法文化、それからまた固有法文化と分けているわけです。そうなると明治からはまた継受法文化の時代に日本は入っているわけです。

ですからこの継受法文化の時代について、非常に用心しなくちゃいけないのは、継受法ははたして日本の社会構造にどれだけ関連を持ち得ているかという問題です。

たとえば、何もかも契約にしろと。こういうのは基本から違うわけであって、たとえばもしも日本が結婚の時にも契約書を書くとします。結婚は契約である。これはユダヤ教徒、イスラム教徒みんなそうで、その時には離婚した時にはどうすべきかということもちゃんと契約書に書く。

これは当たり前で、宗教的にケトゥーバ（注：ケトゥボートとも訳される、結婚についての宗教法）と言って、伝統的に決まっていて、その契約書を持っていかない限り合法的な結婚と認められない。つまり契約とは、契約《それ》が破棄された時にはどうすべきかが書いてない限り契約ではないのです。

離婚の時は双方誠意を持って話し合うものとすると書いてあっても、彼らはこれを契約とはとても思えませんから、結婚が契約において成立すると同時に、必ず離婚の時にどうあるべきかという一条項が入ってない限り、これを契約とは認めないのです。これは宗教法で決まっているわけですね。

これはイスラム教徒も同じです。同時にフランスのように夫婦財産契約があると、家の中のものは全部、これが夫のものであって、これが妻のものであるとちゃんと登記してあるわけです。この机は妻のもので、この服は夫のもので、この家具はどっちのもので。ですから離婚になってもちっとも問題は起きないわけで、それぞれ登記してあるものを持っていけばいいわけです。

こういうことは日本人に出来ない。結婚式の時に、結婚は契約なんですからみなさん、離婚する時にどうすべきか今日ちゃんと契約書を作って、それもお書きなさいと言ったら、これは日本では非常識なんで、高砂《たかさご》やの時にそんなことを言ったら、塩を撒《ま》かれるか、あいつは頭がおかしいと言われるのが関の山です。

これはわれわれにとって、当たり前でないということです。これが当たり前でないということは、われわれはそういう契約社会ではないということです。

便利で機能していればいいという発想

契約社会と、非常に簡単に日本では言いますが、これはなにも会社がそういうことをするだけではなくて、結婚であれ、相続であれ、みんな契約でやるということなんです。ですから、もうおれは隠居すると、息子に財産を譲《ゆず》ると、その代わり息子のほうはこれの経営を行って月々どれだけおれに払えと、フランスだとちゃんと契約をして、控制《こうせい》契約（注：勝手にはふるまわせない契約。牽制《けんせい》契約とも）をするわけです。

こういうことは日本で出来るか、出来ないんです。なぜ出来ないのか。これは日本の伝統に基づくわけで、出来ないのがよろしくないと言われても、出来ないことは出来ない。これは文化の違いであって、どうも出来ない。

こういうことを出来ないのが、われわれの社会は当たり前なんです。ですからその社会において契約、契約といかに言っても、それは出来ないことですし、その契約に基づいて出来ている組織というものがそのまま機能するということもありません。

その通りやろうとしたら、全部ストップして潰《つぶ》れるのは、これも当たり前なんです。ですから、こういうことは出来ない、これは疑わしいから実行しない、こういうふうにしていかない限り、われわれの社会は機能しません。

日本には、日本的な方法がある。たとえば契約その他が継受法文化であっても、継受法文化がそのまま機能しないのは、いわゆる固有法文化が日本の背後にあるはずだからです。そこで、うまくいかなくなった律令体制を崩《くず》して、新しい法律を作ったのが一二三二年。

これがだいたい日本における固有法のはじまりです。

この辺に日本人の特徴がほぼ全部出ています。われわれは彼らのように組織的にものを構成しない。同時になんらかのレジティマシー（正統性）というものも追求しない。これもひとつの原則です。

便利で機能していればよろしいという発想が先に出ます。だから機能していないもの、北条泰時《ほうじょうやすとき》は道理のおすところに従い、と書いていて、理というのは何を意味したのか、いろいろ議論があるんですが、簡単に言うと理屈に合っていればそれでよろしい、その他のことは一切、自分は問題にしないとこう言っているわけです。

これはまことに堂々たる言いきり方なんです。「いかなる本文（＝本説）にすがりたる事候《ことそうろ》はねども」と、これは弟の北条重時《ほうじょうしげとき》に送った手紙ですけれども、法理上の典拠は一切ありません。そんなものはない。ただ理のおすところに従って書いただけだと。

これは世界史に類例がないんじゃないかと思います。類例があるかないか全部調べてはいませんが、どこでも、そして古代においても、いや、ある意味において現代も、それが変形しただけですけれど、法の公布とか発布は何らかの正当性の主張があるんですね。なぜこれが法として機能し得るのか、と。

それを昔は神学的に証明したわけで、たとえばイスラムに行くと、シャリアという宗教法典が絶対的なわけですが、シャリアは何に基づくかというと、コーランに基づきます。コーランというのは、フラー（ヒラー）山の洞窟《どうくつ》にいたマホメットにアラーが大天使ガブリエルを通じて授与されたものである。だからアラーが絶対ならコーランは絶対で、コーランが絶対ならシャリアが絶対である。だからみんな従わねばいけないとなっているんで、これは宗教法の論理はみんなそうなっているんですね。

イスラエルでも同じで、なにゆえにシナイ山で神が直接くれたんだと、それがこうなってこうなって、こうなっているがゆえに、これに対する解釈権というのはいわゆるラビ会議が持つ。

これはクネセト・ハグドラという会議ですけれども、クネセトがイスラエルでは議会の意味になっています。つまりこれが正当性の主張で、どんな形にしろ、これがあるわけです。ある意味においては社会契約論もそうであって、いわゆる憲法は、主権者である国民の政府への授権契約である。だから政府は権力を持ち得るのであって、したがってこれは立法、法を作る権限があるんだと。

律令、この法律はなんでもないようですが、実にたいへんな法律でして、簡単に言いますと、基本的に土地の私有は認めてないわけです。これは当時、ソビエトみたいに表経済と裏経済とがあったわけですから、裏においてはともかくも、合法的な土地の所有は出来ないです。

律令体制下における三世一身法《さんぜいっしんほう》でも、開墾《かいこん》した者は孫の代までは持っていてよろしい。孫の代が過ぎたら国に返納するのが当たり前で、法的にあくまでこれをやられたら、全部の土地は国有になってしまう。公地公民制はそれが原則であって、これを朝廷は変えてないわけですから、厳密な意味で私有財産、所領は誰も持てないはずです。

第八条の大変革

式目のおもしろいのは第八条ですけれど、現代式に直しますと、二十年間保持していた者はその取得の理由のいかんを問わず、その人間の土地と認めると。その人間に所有権を認めるわけで、二十年持っていれば、その前に強奪したのか、占領したのか、一切問わない。二十年間なにしろ持っていたら、その人間の所有と認める。これが第八条に出て来ますが、これは日本における土地所有、これを公然と法が認めたはじめなんですね。

ですから実に大きな変革をここでやっているわけです。おもしろい点は、やっておきながら泰時は何にもやっていませんと言っています。これが本当に日本的と、私は思うんです。

機能すればいいのであって、だから本日をもって律令を廃するなんて言う必要はないのであって、天皇にはいくら頭を下げてもいいのであって、こういうことをきちんと規定して、それにタッチさせなければそれでよろしい。そういう形なんですね。だから、そういうふうに機能すればいいというわけです。

同時にその所領、ここではじめて相続ということが本当に出て来ます。いわゆる父子相伝とかなんとか言っても、本当は権利はないわけです。律令で言いますと。職《しき》、いわゆる官職ですから、親父のあと官職を継ぐのが慣例だと言っても、お前を免職にすると朝廷から言われたら、おしまいになるわけで、その時、自分はこれを保持している権利がありますと言えないわけです。

これは職の時代の特徴になるわけですから、これはたいへんに大きな改革ですが、そういうことをやめさせたかというと、そのまま続いているわけです。まことにおかしいことに、現代まで続いているんです。

従三位《じゅさんみ》とか正一位《しょう》とか今でもありますが、何に基づくかと言うと律令にしかないんです。

憲法には位階という規定はありませんから。ところが日本人というのは偉くなると位階をもらいたくなるらしいんですね。

これは不思議なものだと思うんですが、ある大学の事務員が笑っているんですが、たいへん進歩的なことを言う教授が定年間近になって、途端に自分が正何位になるのか気にし出すというんですね。これは日本人の持っているおもしろい感覚ですが、あんなものもらっても一銭の得にもならないわけですが、やっぱり正三位とか従三位とか、日本人にとってどこかありがたいらしいんです。

先ほど述べたように、なんで規定されているかというと律令でしかないんです。律令に一方において続いているんです。続いていたって一向に構わないわけで、式目時代でも、ずっと律令は続いているわけですが一向に構わない。実質を変えてしまえばそれでよろしい。

このようにして所有権が明確になりますと、相続という問題が当然出て来る。これはおそらく日本における相続法のいちばん古いもののひとつですけれども、この相続は決して長子相続ではないんです。

これは男性でも女性でもいいんです。奥さんでもいい。ですから惣領庶子《そうりょうしょし》を問わずと明確に書いてあって、惣領だからといって相続ができるわけではない。男性だからといって相続ができるわけではない。旦那が死んだ後に未亡人が相続しちゃうという場合もあり得る。

これは源頼朝《みなもとのよりとも》が開いた慣例らしいんです。つまり坂東の武士が戦死をした場合、未亡人に相続させた。これは右大将家《うだいしょうけ》（注：源頼朝）が許されたからだという、そういう言葉が出て来るんですが、これはちょっと学者によると怪しいと言うんですね。問題がありそうなことは全部、右大将家が定めたと言っているんで、本当にそうかどうかわからないけれど、そうなっている。

譲状と悔い還しの権利

これはどういう相続法かと言いますと、父親がこれぞと思う息子に譲状《ゆずりじょう》を渡すとそれが相続する。いちばん優秀なのが相続する。長男だから安心というわけにはいかない。

戦国時代から徳川光圀《とくがわみつくに》くらいまではそうなんです。光圀の頃はじめて、光圀は三男坊で相続しているわけですが、譲状を渡されれば相続される。幕府はそれに自動的に安堵状《あんどじょう》を出す。いわゆる相続を確認するという形になっているわけですが、これは何が原則になっているか。誰がいちばん優秀かということで、つまりその人間が所領を本当に保持して機能していけるか、これが問題なんです。

経営能力があるかないかで決まるわけで、これは貞永式目にはそういうことは書いてありませんが、当時の家訓を見るとそれが出て来る。それは北条泰時の弟重時の重時家訓。武家の家訓でいちばん古いものですが、「極楽寺《ごくらくじ》殿御消息《どのごしょうそく》」という、この中に出て来ます。一体、誰が譲状を受ける権利があるのか。これは両親を扶養すること、一族の面倒を見ること、所領の経営をちゃんとやること、これが三条件になっているわけです。

この三条件を満たし得る者だけが相続の資格がある。資格による相続ですから、親父のほうも判定を誤る場合がありますが、これはどうも相続させてみたら非常にまずい。親の扶養もちゃんとやらない。一族の面倒も見ない。所領の経営もまことにひどくて投げやりにしてある。こういう場合どうするか。

はなはだ後悔する場合、後悔して取り返すことが出来ます。これを悔《く》い還《かえ》しの権利と言って、本日をもっておれは後悔したから取り返す。悔い還しの権利を執行しますと、相続した財産を取り上げてしまう。

取り上げたら幕府は、自動的にそれを認める。次に、これはと思う別の息子に譲状を出して、その息子が相続する。こういうことが出来たわけです。ただこれをあんまり頻繁《ひんぱん》にやりますと、所有が確定しませんから、その前に親子で話し合えということを式目は命じています。命じていますが、話し合いが決裂すれば、それが出来るわけです。

これはたいへんおもしろく、ご老人にこの話をしますと、民法がそう変わるといいとおっしゃる方がいるんですね。すなわち全部財産を譲ってこれで隠居をする。しかしお前、然《しか》るべきことをやれよと言って、いろいろ見ていて息子がちゃんとやらなければ、おれははなはだ後悔したから悔い還すという権限を持っていれば、息子との間に話し合いというのが出来る。ところが今みたいだと、何にも出来ない。譲ってしまえばそれでおしまいであって、その後、親のほうはほったらかしにされてもどうも出来ない。

こういう状態が今の状態なわけですね。そういうふうに民法が変わらないでしょうかと言う方がいるんですが、これがやっぱり日本人の伝統的な価値観とか意識に非常にうまくマッチしているんですね。

両方自制をしなくちゃいけないということですが、日本の場合、親子で契約するという武家社会の法は継受したけれども、親子でも契約するという契約社会にはならなかった。こういうところから矛盾《むじゅん》が出て来るわけで、日本におけるさまざまな矛盾、そんなことすりゃ当たり前じゃないと言われる状態が出て来るのは、ここに原因があるのがほとんどです。

町人が機能主義者に向かう理由

貞永式目は徳川時代にさっき申しました町人の手習いの教本にまでなって、いちばん町人に浸透したわけです。町人とはつまり機能していかなくちゃならないですから、徳川時代、厳格に言うと破産するというのは町人だけなんですね。武士は、破産した例はありますが、原則的に破産はしない。農民も原則的に破産はしない。ところが町人だけは絶えず破産にさらされていた。

破産という問題に本当に敏感なのは町人。ですから親は苦労する、子は楽をする、孫は乞食するということあり、なんて石田《いしだ》梅岩《ばいがん》（注：江戸中期の思想家）の著作に出て来ますが、侍《さむらい》なんて原則的にあり得ないんですね。禄《ろく》を代々受け継いでいきますから。小作農民もこれはない。永代小作権を持っていますから。職人もその職を学んでいる限りこれはない。町人だけはこれがあるんだと。

だから商人はこうこうしなければならないというのが出て来るわけですけれども、機能主義というのがいちばん強く町人に受け継がれて当然なんですね。ですから息子が全部だめだと思えば若隠居させる。若隠居とは禁治産ということですね。

若隠居は優雅だから、今でも若隠居という言葉を使ったほうがいいかもしれませんけれど、長女にいちばん優秀な番頭を迎えて、これに相続させる。これはいわゆる男系の男子、これで血縁を続けるというよりも、むしろ機能する集団をそのまま機能させつづけようとするほうが主になるわけで、日本の特徴ですね。

われわれはそういう社会で明治を迎えた。ここでひとつの法を継受して、またここから継受法文化になった。いわゆる骨の時代から職の時代、次にまた名の時代に来て、名の時代からまたちょっと継受法文化になった。何の時代と呼んでいいかわかりませんが、憲法の時代と言っていいのかもしれません、それになった。

おそらく律令が持っていた同じような問題点を常に持っているわけです。ですからわれわれの社会というのは絶えずこれを考慮していかなくちゃいけない。これを考慮しないで失敗した場合、それは誰が見てもあれは失敗するのが当たり前だということになるわけです。

年功序列の正確な意味

では、一体、式目というものが出て来た社会というのはどんな社会だったのか、ということになりますと、これはだいたい年功序列社会なんです。年功序列における日本のいちばん古いものですけれど、年功序列とは何かということです。

年功序列と言っても、調べてみると、ホワイトカラーの就業期間は日本と西ドイツ（注：一九九〇年に東西ドイツ統一）はほとんど変わらないですね。統計が労働省（注：現厚生労働省）から出ていますが、日本は終身雇用だ、年功序列だと言うけれども、実際の就業期間というのは計ってみると、ホワイトカラーに関する限り差はない。ですから、これはむしろ意識の問題なんです。

日本ではたとえどんなことがあっても、就職する時に自分はその会社に一生勤めるという前提に就職するわけです。就職試験の時にだいたい御社に五年おりまして、そこで技能を磨《みが》いてそこから別な会社に行くつもりでおりますなんて言うと、これは雇ってくれないわけです。

そういうことを言えば、雇われなくて当たり前じゃないかということになりますが、ドイツ人だったらはじめから三年から五年の契約期間、これが当たり前で、それから先長くいるということがあったとしても、雇用というのは契約に基づくとすれば、期間があるのが当たり前なんです。

もっとも、期間があるのが当たり前であって日本と同じくらい長くなっているかもしれないし、日本は期間がないのが当たり前で、実際は終身どころか短くなっているかもしれませんが、これは意識の問題であって、だから同じということは決して言えない。

以前、このことで労働省の方と議論になったんですが、日本が終身雇用なんて嘘《うそ》だ、そんなこと言えばドイツだって同じじゃないかという議論が出て来て、いや、それは基本的に違うと私は反論しました。

その人間が持っている前提が違う場合、現象が同じように出て来たから同じだということは決して言えない。それは働いている意識の違いになりますから、これを統計的にほぼ同じだから同じと言うのは議論にならない。終身雇用ということを前提に就職しているのか、あるいは契約期間ということを前提に就職しているかで、職に対する意識が基本から違ってくるわけで、結果において長さがどうこういうのは議論の仕方が違うと申しました。

これがたいへんにおもしろいんですが、年功序列という言い方は年次序列ではないんです。年と功とが必要であって、年次序列と言うならば年次によってそのまま階層を上がっていくという形になりますが、功というのがインプットされていると、これがそうではなく何年勤めても功がなければ序列は下、あるいは短くても功があれば、序列は上、ただし年というものも考慮される。

これがいわゆる年功序列という言葉の正確な意味だろうと、私は思うんです。

荘園から形作られた社会・精神構造

たとえば荘園というのはだいたいそういう形になっているわけですね。これは機能集団で、機能しないと破産してしまう集団なわけです。

これもその時、論争になったんですが、社会学では社会に基礎集団と機能集団があるというのは、ヨーロッパの場合必ず言われることで、その基礎集団が地縁集団であったり、血縁集団であったりする。ただその地縁集団ないしは血縁集団を基礎として、そこから機能集団に働きに行くという言い方になるわけです。

ですから、社会には必ず二つの集団がある。それは外面的には分けられるかもしれないけれど、基礎集団がそのまま機能集団になってもちっともおかしくないと、だから会社というひとつの機能集団がそのまま基礎集団になったって、これはおかしくない。概念として分け得るということが、そのまま実体が分かれているということとは別ではないかというような議論になったんですが、これはおそらく日本の大きな特徴になって来るんですね。ヨーロッパは確かにそうなんです、見ていると。基礎集団と機能集団が意識の上ではっきり分かれていて、基礎集団に対してはこうすべき、機能集団に対してはこうすべきと。たとえば血縁集団はだいいち契約じゃないですし、契約でこれに加入するわけじゃなくて、出生しない限りこれに入れない。ところが機能集団はそうではない。こういうふうに意識がはっきり分かれているんです。

日本の場合、別に企業に入る場合これが基礎集団なのか、それとも機能集団なのか誰も考えない。入ったら入っちゃったんであって、その企業の中に生まれたようなものです。生まれたようなものですから終身雇用という意識になるわけで、入社式は、だいたい誕生式だろうと思っているんですが、これが二つの機能集団と基礎集団という意識が分化していないという状態になっているわけです。

これは荘園を見ていくとそうで、いろんな形態がありますが、だいたいこうなっています。

領家《りょうけ》（注：荘園を開発した在地領主から寄進を受けた荘園領主）というのが在地領主の上にあって、その上がいわゆる本所《ほんじょ》（注：荘園の実質的支配者）ですけれど、これに名義料を払っている。ですからこの場合には、明らかに機能集団であって、機能することによって成り立っている。同時にこれは生活している基礎集団です。これが崩壊してしまうと、基礎集団自身が崩れてしまう。

基礎集団の中の秩序を維持するためにどうすべきかという発想は、当然に出て来る。これは重時家訓にもありますが、自分と同じ父親ぐらいの年代の人間は全部父親と思え、自分の同輩というのは全部兄弟と思え、いとけなきはすべて子と思えと、集団秩序において年次序列を認めて、それを血縁における秩序のようなものにしていけと。ですから、こういう機能主義とそういった年次主義との両方で、秩序を保っているわけです。

これが日本における組織のいちばん古いものであって、貞永式目というのはこういう組織そのものを法的に基礎づけた。この存在をそのまま法的に認めたという形になっています。

ですから、これが日本人の意識のいちばん基本であって、こういう社会構造に対応している意識がわれわれの精神構造なわけで、この二つが相対応して機能しないとうまく機能しない。だからこの原則に違反したら、その会社は潰れて当たり前ということになるわけです。これもまた当たり前なんですね。

日本人特有の相続意識

次に自分たちの伝統的な社会構造、固有法文化はどの民族にもあって、誰でもそれに従っているのですから、みんな継受法に従っているような顔をしていたって実際にはいろんな形で固有法に従っているわけで、戦後でも戦後の均分相続制をちゃんと実施しているのはほとんどないんですね、調べると。

同時にいかなる相続が好ましいか、総理府で相続意識の調査をやっておりますが、均分相続制がよろしいと言ってるのは一二・一パーセントしかないんです。どういう相続がよろしいか、長男というのもありますが、ほとんどが自分の面倒を見てくれる者ということになっているんですね。

自分の老後を見てくれる者。これは式目と同じ発想になって来る。こういうことは変わらないというのは、社会そのものが実際に変わっていない。ですから継受法でどういうふうに決めても、なんらかの形で脱法的にそれを抜けてしまう。これは例を探っていくといっぱいあるんです。

ある団体の理事長の方ですが、兄弟が六人いて、男ばかり六人、そのうちの五人がみんな相続権を放棄して、国に残っているのはわずかな土地と家と、それから国で教師をしている自分の兄弟がいるだけ。教師をしている兄弟に、土地と家はお前が相続しろと。その代わり両親の扶養はお前がやれということで、後の兄弟が全部これを放棄したという話をこの前、聞きました。

結局、非常に長い間、貞永式目的な原則はわれわれの社会に生きているんです。それは必ずしも長男である必要はない。いわゆる扶養する者、それが相続するのが当たり前。他は他で勝手に生きていくべきである。こういう発想はここから来ているんです。

これをやるとわれわれの社会は当たり前と認めてくれますが、もしも九人の兄弟がわずかな土地をめぐって、たとえばそれを九等分して取ってみんながそれぞれ相続権を主張して争うようにでもなったら、日本の社会はなんて変な一家だろうとしか言わないわけですね。つまりこれは、法律よりもこういった伝統的な意識のほうがはるかに強いということであって、これはそう簡単には変えられないのです。

どの民族でも、そうは簡単に変わらないんです。継受法というものは、あるところまでは機能する。あるところから先は機能しなかった。これはもう律令が来た時に、おそらくすでにそうだったんだろうと思います。

これは前に述べた『大勢三転考』にも出て来ますが、律令が逆にこういうものを生み出したんじゃないかと分析しています。確かにそう言えるんで、おそらく明治以降の継受法というのは、これはまたどこかで別なものを生み出すと思われます。事実それはボツボツいろんな点で出て来ている。そう考えていいと、私は思います。

フランスでは毒薬＝相続の薬

この原則に違反するということは、日本では非常識である。ですから、そうすると当たり前でなくなるわけです。こういうひとつの伝統的、文化的規範というのはなかなか変わらないわけですから、この人間が、この民族が外国と接触した時にさまざまな問題が出て来て当たり前なんです。

ただ、われわれの持っている伝統というのは非常に特異なものだということを、われわれが頭に入れておかねばならないと、私はそう考えています。

たとえば法と法とを比べてみた場合、日本と他の国とほとんど違わないということがいくらでもあります。それじゃ社会の実体は同じかというと、決して同じにならない。これが同じという錯覚《さっかく》を抱いた時に、たいへんに問題が出て来る。

われわれの社会の大きな特徴は何かと言いますと、今言ったような相続原則の特徴ですね。これはたいへんに珍しいんで、ヨーロッパにもないし、中国、韓国にはもちろんないし、アメリカがやや似ている点があるんですね、それだけだと思います。

木村尚三郎《きむらしょうざぶろう》先生（注：西洋史学者）に聞いたんですが、フランスでは毒薬のことを相続の薬と言うんだそうです。相続の薬がなぜ出て来るかと言いますと、血縁順位だけで相続するからです。これが死んだら、次はこれ。

日本ですと皇位継承順位だけはそうなっていますが、血縁原則が非常に強固な国だと、財産の相続でもなんでも全部そうなる。だから自分が、たとえば相続において第四番目の相続権者だという場合、二番目と三番目を毒殺すると自動的に相手の莫大な財産が自分に来ると、こういう事件が非常に多かったんで、毒薬のことを相続の薬とフランス語で言うそうです。

おもしろいことに、日本でそういう言葉があり得るかというとあり得ないんです。なぜあり得ないかと言いますと、せっかくそうして殺しても、その人間が養子を迎えてそれに相続させてしまえば何の意味もないですから、日本はそういう事件は起こり得ないですね。本当に社会の構造の基本が違うからです。

日本には結婚原則がない

相続原則が違うということはその基本が違うということで、もうひとつ問題になるのは結婚原則。結婚原則の違いも、社会の構造の基本的な違いが出て来るわけですが、日本には結婚原則はないんです。貞永式目にも何にも書いてありません。どういう時に結婚していいのか、どういう時に結婚して悪いのか、こういう結婚をしなければいけないといったような原則は一切ないんですね。

韓国とか中国ですと、族外婚の原則というのが出て来るわけで、いわゆるエクソガミーですね。簡単に言うと、同姓は結婚出来ない。ですから両性の合意によるなんて言っても、両性が合意しても姓が同じならこれは結婚が出来ない。朴さんと朴さんは結婚出来ないし、金さんと金さんも絶対結婚出来ない。結婚しても奥さんの姓はもちろん変わらない。奥さんの姓は必ず違うんですね。

中国人でも韓国人でもそうで、学者によって中国のほうが厳しいと言う人もいますし、韓国のほうが厳しいと言う人もいますし、ちょっとわからないんですが、インドもそうであって、族外婚というのは多くの血縁社会で行われています。

日本はというと、アジアの一角にある国なのに昔からこれがまったくないんですね。これはほんとに問題で、もしも鈴木さんと鈴木さんが結婚出来ないと言われたら、われわれはとんでもないということになります。そんな社会は当たり前じゃないわけです。

これがむずかしい点で、向こうはそれが当たり前なんです。そういう原則なしに結婚出来るというほうが、向こうから見ると当たり前じゃないんです。今でも韓国では同姓で結婚出来ないのを悲観して心中したとか駆け落ちしたとかいう新聞記事がありますが、日本ではそんなこと出っこないですね。お前同姓だから結婚出来ないなんて言ったら、こいつ頭がおかしいんじゃないかということになります。いわゆるそういった意味のエクソガミーの原則は、日本人にない。

それから次にもうひとつ、宗教原則というのがありません。たとえばイスラム教徒とキリスト教徒とは結婚出来ない。すなわち結婚が宗教法に基づく契約ですから異教徒との契約が認められない限り結婚出来ない。どっちかがどっちかに改宗せざるを得ないという結婚における宗教原則、これも実に多くの国にありまして、これを破るということは不可能に近い。

ユダヤ人の両親というのは、娘が誰かに、ユダヤ人以外の人間に恋をしたというと、これはまたたいへんなトラブルが起こるだろうと思って心配するわけです。どっちがどっちに改宗するかということになりますから、非常にうるさい問題になって来る。

ところが相手が日本人だと聞くと、ほっとするそうで、というのは、もしも日本の男性とユダヤ人の女性なら、あんた改宗してちょうだいと言えば、うんいいよと言うに決まっていますから、はじめから心配の対象にならない。これはこちらにそういった結婚原則がないということなんですね。これも世界に珍しい。

さらに問題は、中国ですと一夫多妻という原則が厳然とあるわけです。もっとも何でもシステムにするのが好きな国ですから、確か皇帝は奥さんが十二人までいていいんですが、諸侯は八人、大夫が四人、士が二人で庶民は一人。

われわれ庶民はいつも一人なんでしょうけれども、これはしかし決して日陰者でもなんでもない、全員が堂々と奥さんである。多妻の場合、第一夫人のほうが階級が高いんだそうで、階級の違いだけであって、合法的存在なんですね。だから子どもも全部合法的存在です。

養子の相続権の有無

ヨーロッパへ行くと違って、一夫一婦が原則です。もちろんどの社会でもいろいろ規範を破る人間がいるわけですが、ミストレス（注：愛人）というのはヨーロッパだっていたわけですけれども、ミストレスがいるということを社会は認めない、そういう概念が元来ないわけですから、その子どもは一切、父親の子どもとしての権利を主張することが出来ない。

ルイ十五世のミストレスはマダム・ド・ポンパドゥールです。誰でも知っていても、これはポンパドゥール侯爵夫人で、その子どもは王位継承権があるかというと、絶対ないですね。これが法的原則というものであって、いずれの社会でも同じわけですが、日本はどうなのかと調べてみますと、まったくわからないですね。

一夫一婦であるようでもあり、ないようでもある。重時という人は一夫一婦を主張して、武士は絶対に一夫一婦でなくちゃいけないと言ってはいるんですね。ですから武士は家訓で、一夫一婦が原則になっているんです。

この点、公家《くげ》よりははっきりしている。それではミストレスがいたか、いなかったかというと、もちろんいたんです。いてもそれは非合法的存在だから、その子どもは何の権利も持たないかというと、決してそうじゃない。

ところが外国へ行くと、これが全部当たり前ではないんですね。それから、子どもがなければ養子を迎える。これは、われわれには当たり前です。養子を迎えると自動的にそれが息子としての権利が主張出来る。養子が来たということは、相続権を持っていることです。

アダプションというのはヨーロッパにもあるわけで、よく養子と訳されますが、これは間違いです。アダプションは自動的に相続権を持っているんじゃなくて、ベトナム養子といったって、あれは相続権を持っているわけではなくて、ある一定の年代まで自分の子どものように育てるというだけで、養子になったからといって自動的に相続権があるわけではない。つまり、ほんとに〝ただ、養っている子ども〟なんですね。

これを日本はよく間違えます。アメリカにもヨーロッパにも日本的な養子はない。韓国にももちろんない。血縁でない者を血縁にすることはないですから。ところが、なんとなくこれを日本と同じような養子と受け取ってしまうという点があります。ですが原則的にこれはないんです。

もしもこの原則を破ろうと思ったら、遺言状でそれを明示しない限り出来ない。もっともアメリカですと、犬でも猫でも相続出来ますから、遺言状を書きます。カナリヤが相続したという例があるそうですから。

養子に相続させることは出来ますが、これは法的手続き、これをしない限り出来ないわけです。こういう点も、われわれと非常に違うわけです。

「私有」という概念がいちばん強い日本人

社会構造の基本的な違いというのは、親子関係、夫婦関係、それから相続、財産の所有という概念の違いに出て来ますね。これらがいちばん、われわれの社会との違いの基本として出て来る。これらが違うということを全部用心しなくてはいけないのです。

だいたい日本人の持っている所有概念、日本人の持っている私有財産、私有という概念は世界でいちばん強いと見ていいんです。これはなにも戦後、みんながめつくなって、私有という概念が強くなったのではなく、徳川時代の町人もそうです。

石田梅岩の言葉にありますが、わがものはわがもの、他人のものは他人のもの、借りたるは返し、貸したるは受け取り、もって正直でありたきものなり。

正直の定義ですが、正直の定義は、おれのものはおれのものだということなんです。お前のものはお前のものだ。借りたものは必ず返す。貸したものはどんどん取り立てる。これが本当の正直であって、そうでなければ正直じゃないんです。これをちゃんとする人間が、私欲がないと言っているんですから、それをはっきり主張しても、日本人は絶対あれは欲張りだと言わないわけです。

イスラムに行ったら、こんなことはないですね。金持ちのものは貧乏人のものと決まっているのであって、貧乏人が借りたものについて返せと言っちゃいけない。ですから貸したんだか上げたんだかわからない。たとえば日本が経済援助をしている。だからずいぶん感謝されているんでしょうなんて言う人がいますが、感謝なんかするわけがないですね。喜捨《きしゃ》、貧乏人へのめぐみというのはイスラムの五大宗教的義務のひとつですから、お前に喜捨の機会を与えてやったのだから、ありがたく思えということであって、経済援助をした上でありがとうございますと言うのが当たり前なんですね。

そこで乞食は堂々と手を出します。これはお前が天国へ行けるもとを作ってやっているんだからありがたく思ってここへ金を出せ、という考え方だからです。だから、ありがとうなんて絶対に言わないですね。

これは考え方の違いであって、日本人の所有原則は昔から、まことに近代的なんです。貞永式目の土地の所有権、いわゆる坂東武士の所領は「先祖累代の地だ」とばかり、一所懸命で、この一ヵ所に命を懸ける、という気持ちです。この所領を取られるくらいなら死んだほうがいいというくらい土地の所有という概念が強い。これはもう基本的に所有という概念が非常に強いということで、正直の定義にまで出て来る。それを私心がないと、われわれは言っているわけです。

ところがイスラムに行って私心のないことをするとたいへんなことになるんです。国際関係でも、これで通るかと思ったら大きな間違いであって、こちらが当たり前のことは向こうは当たり前ではない。向こうの当たり前通りやられると、われわれにとっては本当に当たり前とは思えない。

結婚原則で韓国中国通りのことをやると言われたら、とうてい当たり前とは思えない。所有とか貸借《たいしゃく》ということで、もしイスラムのような考え方でやると、とても当たり前とは思えない。われわれの当たり前は決して普遍性を持たないという、これを絶えず頭に入れておかねばならないんじゃないかと思います。

アメリカの間違い、日本の間違い

その点を戦後大きく、アメリカは確かに大きく間違えた。アメリカだけじゃなく、日本人もこれの影響を受けて間違えています。いわゆるアメリカ型民主主義は人類普遍の原則であると信ずれば別ですが、決して普遍の原則ではないわけで、普遍の原則のつもりでやったことは全部失敗しているわけです。

今では国際法ですら普遍の原則ではないわけで、いわゆるイスラム法は欧米式の国際法を認めませんから、イランもウェストファリア条約（注：一六四八年、三十年戦争終結のためにドイツ、フランス、スウェーデン等の間で結ばれた条約）以降の当然の常識である外交官特権を認めません。人質（注：一九七九年、イランのアメリカ大使館人質事件）にしてしまったといっても、英国米国を通じて出来た国際法上の原則すら、地球全部の原則ではなくなって来た。

日本は真珠湾をぶったたいたりしても、こういう場合の国際法の原則はきちんと守っていたんです。ちゃんと交換船でアメリカまで送り返すという。つまり、ずいぶん非難されても、そういう原則はいつも守っている。これが当たり前だったんですが、この当たり前は崩れているんですね。

　ましてアメリカ型民主主義が人類普遍の原理だなんてことは、当たり前にならないんです。これを戦後何十年錯覚して、世界どこへ行ってもこれが通用するような考え方になって来た。

　しかし、これは無理です。韓国へ行ったら、結婚するなら韓国の原則に従う以外に方法がない。イスラムへ行ったら、商取引、所有その他の概念で、イスラム法に従う以外に方法がない。それがいやなら日本から出て行くな、ということになってしまう。出て行くなら、自分とどう違うかを知る、こういういちばんの基本を明確につかまないと危ないわけです。

　これが当たり前で、最後にもう一回言いますと、継受法と固有法と、日本にはその二つがあって、決して継受法通りに日本人はすべてをやっていない。これは西欧の法が出来た社会構造と日本の社会構造が基本的に違うから、そうなって当たり前です。

　われわれはこの二つを絶えず勘案《かんあん》していくのが当たり前であって、そうしない限り、そんなことすりゃ失敗するのは当たり前だという状態になる。

　しかし日本人の固有法、これは非常に長い伝統があり強固なものですが、これは決して人類共通の原理ではない。他へ行けば他のまったく違った原則がその社会の当たり前として通用している。そこへ行って日本の当たり前通りにならないと憤慨したところで、意味はありません。

【初出：ダイヤモンド・ウィークエンドサロン日本での、一九八〇年一二月一二日の講演「あたりまえの比較文化論」】

第四章　切腹と石油——日本の潜在力

明治初年の大変革

現代は変革の時代であろう。少し前まで、われわれ中小商工業者には無縁のものと思われていたOA（office automation）やロボットが、一時期の金銭登録機や単純な自動機械のように使われ出した。

中小零細企業の定義にもよるが、日本の企業の九五パーセント以上、従業員数の七五パーセント以上がそれに属する。俗に「産業の底辺」と言われて来たそれらの企業のOA化、ロボット化は、産業国家日本を根底から変えていくであろう。

ではそれが将来、われわれの日々の生活を、日本の社会を、人びとの意識を、経済を、政治を、どう変えていくであろうか。それに対して各人が、また企業がどう対処すべきなのか、否、すでにどう対処しているのか。その対処が対内的・対外的にどういう結果をもたらすのか。これに対しては、現在のところ、まだ正確な答えはない。

新しい変革によって生ずる未知の状態への予測、それは確かにむずかしい。だが、過去の変革の際、日本人がどのように対処して来たかを振り返り、ついで頭をめぐらせて未来のほうへ目をやれば、予測のヒントはつかめるであろう。そこで更《あらた》めて、明治初期における変革を振り返ってみたい。というのは現代の変革が大きいとはいえ、また終戦時の変革も大きかったとはいえ、それはとうてい明治の初年には及ばないからである。

攘夷思想家の石油開発

昨日まで幕府があり、封建領主があり、士農工商があった。産業社会などはどこにもない。電信も鉄道も工場もない。いわば現在のわれわれが、あるのが当然としているものはすべてなかったと言ってよい。だが、明治初年の新聞を読むと奇妙なことに気づく。

西暦一八六八年は、九月七日までは慶応四年、九月八日から明治元年となった年。この年は一月三日が鳥羽伏見《とばふしみ》の戦い、四月十一日が討幕軍江戸入城、九月二十二日会津藩《あいづはん》降伏で、その直前に白虎隊《びゃっこたい》が切腹し「諸侯への忠誠」はこれで終わる。

ところが、それからわずか三年三ヵ月、明治四年十二月には次のような記事がある。「我国ニテハ未ダ石炭油（石油）ノ製法ヲ知ラザリシガ、石坂霞山《いしざかかざん》翁始テ之《これ》ヲ発明シ……」と。

一体何がはじまったのであろうか。昨日まで切腹をし、今日は石油の精製をはじめる。一体石坂霞山（周造《しゅうぞう》）とはどのような人なのか。早くから石油に着目していた先覚者なのか。そうではない。彼もまた尊皇攘夷《そんのうじょうい》の熱狂的な志士、時と場合によっては平然と切腹できる人間であった。

その彼が、これからは文明開化・殖産興業の時代と、ほんのわずかの間に意識を転換させ、新しい方向へと走り出したわけである。この転換は、軍事国家日本が産業国家日本へと転換した昭和二十年の時のようにすばやい。それでいて、ある意味では尊皇攘夷的発想は継続していた。

新聞は続ける。「……世ノ開クルニ随ヒ、庁ニ告ゲ衆ニ詢《はか》リ、之《これ》ヲ製シ試《こころみ》ルニ、油質最モ純美其焔《そのえん》（注：ほのお）温和ニシテ、自《おのず》カラ劇炎（注：ひどい災害）ノ患ナク、最上ノ佳品トナレリ。依《よっ》テ官許ヲ得、会社ヲ結ビ、諸方ニ売捌所《うりさばきどころ》ヲ設ケ……」と。

「会社」、会社人間とか日本株式会社とか、現在では日本国中に氾濫《はんらん》するこの言葉も、当時は新語であった。

日本最初の会社は、明治二年設立の渋沢栄一《しぶさわえいいち》の商法会所と福沢諭吉《ふくざわゆきち》の丸屋商会だと言われるが、正式な法的手続きを踏んで登録され、かつ「会社」と名のった日本最初の会社は、明治四年八月に設立された石坂霞山の「長野石炭油会社」である。資本金三万円、本社は東京の神田明神《かんだみょうじん》の傍らであった。おもしろいことに、日本で最初の正規の会社は、石油会社だったわけである。

霞山が石油に着目した動機は、ランプとともに日本に押し寄せる石油に、国産で対抗してこれを追い払うことであった。この点では、攘夷的である。そしてこの産業的攘夷の傾向は、第一号の会社より現代まで続いている。

もっとも先駆者石坂霞山は「事業の成功者」ではなく、着想はよかったのだが、経営は「士族の商法」であったらしく、成功はしていない。だがこのような新聞記事が出、「石炭油が商売になる」とわかると、われもわれもと手掘りで石油を掘りはじめた。そのため新潟県出雲崎《いずもざき》の尼瀬《あませ》の海岸は穴だらけになり、北蒲原郡《きたかんばらぐん》黒川村（注：現胎内《たいない》市）の石油露頭の背後の小山も穴だらけとなった。そして後者の穴は、今も数多く残っている。

技術の入手先

では一体、探鉱や採掘の技術はどこからどうやって手に入れたのか。従来の井戸掘りの技術、徳川時代の採油法、外国人からの示唆の三つで、一言で言えば海外からのヒントと土法（注：日本元来の方法。土着的な方法）との結合である。

原油は徳川時代にも一部の地方では使われていた。原油がにじみ出て溜《た》まる小さな池、それは「坪《つぼ》」と言われ、そこから採取されていた。もっともそのような池には、水も溜まるから原油は水の上に浮いている。この池の表面を「カグマ草」というシダの一種を束にしてかきまわし、水を切ると葉の間に油だけが残る。これを桶《おけ》にしぼりとるという方法である。

もちろんそれでも水が混じっているから、それを大きな桶に溜め、油と水が分離した頃合を見計らって桶の底にある栓《せん》を抜いて水を出す。残った原油は「あかしん台」という灯火に用いられた。これはどびんの口へ芯をさし、それを吊り下げたような灯火で、もうもうたる黒煙と悪臭が出る。そのためであろうか、当時原油は「くそうず」すなわち「臭い水」と呼ばれており、だいたい土間や屋外における夜業用であった。

また現代で言う農薬や防腐剤にも使われていた。田の水にこれをまくと水面に原油の膜ができる。そこへ稲からウンカ（注：稲の害虫になる昆虫）を払い落とすと、原油のため羽がくっついて飛べなくなって溺死《できし》する、といった方法であった。

「くそうずを精製すれば石油になる」これが石坂霞山のヒントであったろう。新聞には次のように記されている。「……当秋其《その》製ヲ実地ニ試ントテ信濃口ニ至リ、長野県管下ノ山野ヲ跋渉シ、水内郡ニテ不図《ふと》（注：思いがけなく）草生津《クソウヅ》ノ油井戸（おそらく前記の「坪」）

ヲ探り出シタリ。然《しか》ルニ従来此《この》油運上年々（注：毎年ずっと）永百五十文宛《ずつ》ヲ納メ勝手ニ之ヲ用ユルコトヲ許サレシカドモ、其製法ヲ知ル者ナクシテ多分ノ国益ヲ土中ニ埋メ置ケリ……」

運上とは税金のことだから、税を払って原油を採取することは徳川時代から行われていたわけである。

黒川村の旧家には今も坪の権利書や運上のことなどを記した古い書類が残っている。この村へ、村の素封家《そほうか》（注：資産家）平野家の当主が、長崎からシンクロートンというイギリス人を伴って帰って来た。明治六年のことで、彼の指示で井戸を掘ったところ、石油が大量に湧出《ゆうしゅつ》した。これは「異人井戸」と呼ばれ、今もその伝承が残っている。その後は、われもわれもと油を掘り、「坪」の背後の小山が穴だらけになった。

この掘り方は文字通りの「土法」で、四角の穴に木の枠《わく》をはめ、枠と土の間へ板をはめこんで掘っていく。原油がしみて腐らないので、今もそのまま残っているものがあり、うっかり歩いて落ちたらたいへんである。腰に綱をつけ、井戸の枠を梯子《はしご》がわりにして人間が下りて行き、桶に原油を入れると上で引きあげる。ガスが充満して空気がなくなれば人間は窒息するから、上からふいごで空気を送る。

このような原始的な油井は尼瀬の海岸にも掘られ、前記のように海岸は穴だらけとなった。それがみなはじめは「一発屋」であったため、石油にタッチする者は「山師」あつかいであったという。

「これはいける」と思った瞬間、どっとその方へ押し寄せる傾向は、昔も今も変わっていない。

焼酎の製法を使う

徳川時代に、原油がすでに灯火用に用いられていながら、誰も精製を考えなかったのであろうか。石坂霞山は後に特許を申請するが却下される。実は彼よりもはるか前、嘉永《かえい》五年（一八五二年）に石油精製・販売を行っていた人間がいた。霞山はそれを知らなかったわけで、これは、徳川時代の「産業情報」伝達の不備を物語っている。『日本石油史』（日本石油株式会社発行）には次のように記されている。

「越後刈羽《かりわ》郡妙法寺村《ぐんみょうほうじむら》でも、原油のまま灯火用にすることは危険が多く、臭気と油煙に悩まされること甚《はなは》だしいので、同地の石油稼《か》行《こう》者（注：石油産出業者）西村家では、代々その点に苦心し、ある時は大釜で沸騰《ふっとう》させ揮発分を抜いて、引火度を高めて販売したが、な

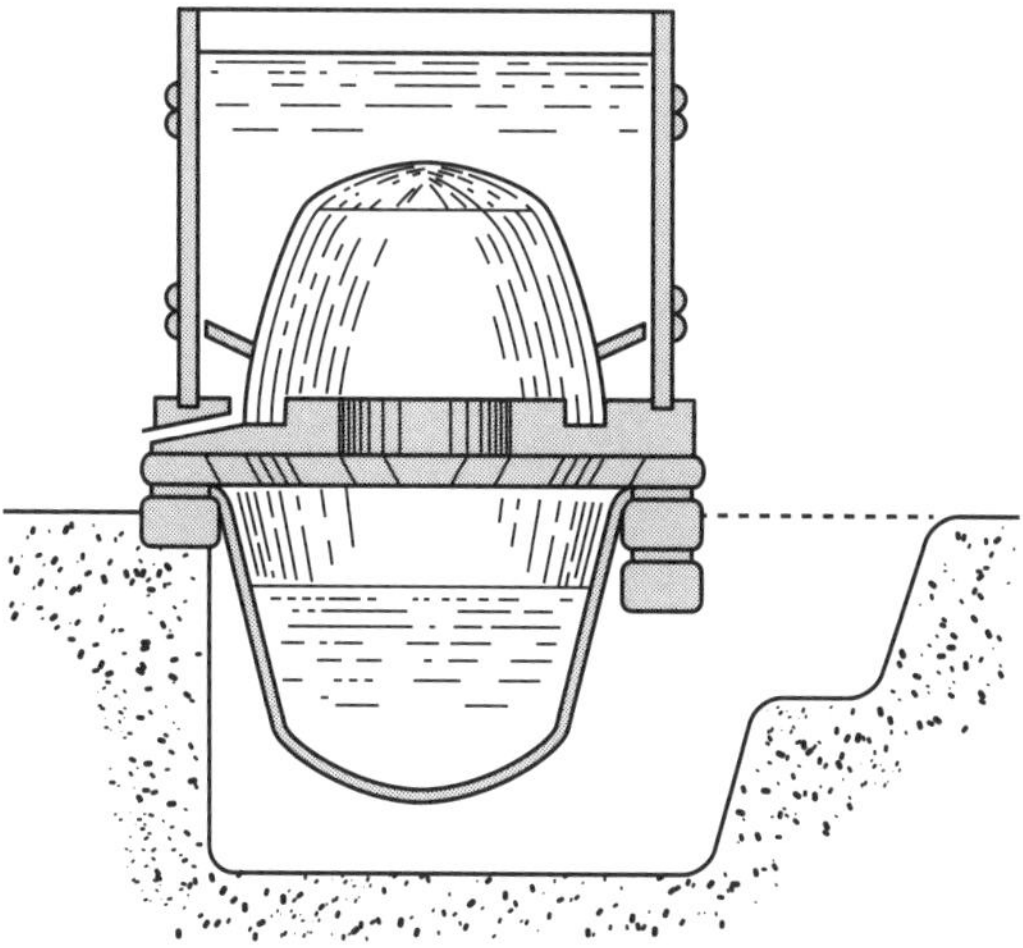

日本最初の製油装置（『日本石油史』より）

お下級家庭以外では歓迎されなかった。

しかるに嘉永年間、西村家の使用人が、原油行商の途次、たまたま今の西蒲原郡吉田町の、かねて得意先である蘭方医（注：オランダ医学を学んだ医師）喜斎《きさい》というを訪問したところ、喜斎は一小ビンを示し、『これは草生水《そうず》から精製した薬で……多年苦心の結果発明した新薬である』といった」と。

医者である彼は、あくまでも薬品として石油を研究していた。

この使用人はほとんど無色透明な液体を不思議に思い、試みに点火すると明るい光を出してよく燃える。そこで一ビンをもらいうけて西村家に持ち帰った。

西村家ではいろいろと研究し、これはおそらく焼酎《しょうちゅう》を蒸溜《じょうりゅう》する「らんびき」を応用したのではないかと推定し、もしそうなら残滓物《ざんしぶつ》（ピッチの類）があるはず、と思ってその使用人を再び喜斎のもとにやって、たずねさせた。すると喜斎は、黒色の固型物を出して見せた。

当主の西村毅一《にしむらきいち》はやはり「らんびき」だと思い、柏崎近郊半田村の阿部新左衛門と協力し、焼酎蒸溜法に準じて、はじめて灯油の精製に成功した。そこでこの半田村に原油三斗《と》（注：三十升）張込の（注：満たした）釜を築き、本格的に石油精製販売をはじめたのが、嘉永五年四月である。

これはイギリスのジェームズ・ヤングが石油の精製をはじめたのとほぼ同じ頃である。当時はこの灯油のことを「さらしくそうず」と言ったらしく、その看板が今でも尼瀬の出雲崎《いずもざき》石油記念館にある。

また揮発分は「気違いくそうず」重油は「馬鹿くそうず」と言われ、従来の「あかしん台」用にはこのほうが愛用されたともいう。いわば揮発油分がないので危険が少なく、安心して使えたからであろう。

石坂霞山が特許が取れなかったのは、蘭方医喜斎と西村家のことを矢島幽琢《やじまゆうたく》という人が調べ、その調書と証拠品を提出したからであるという。

このように「土法」による技術で、すでに石油は出来ていた。ではなぜこれが普及しなかったのか。理由は三つあるであろう。

第一は「ほや」という透明の煙突があるランプがなかったこと。これがない場合は、石油は菜種油に比べて必ずしも勝《まさ》るとは言えない。

第二に揮発物が混入すると危険であること。これは前記の新聞に「其焔温和ニシテ、自カラ劇炎ノ患ナク、最上ノ佳品トナレリ」に表れている。もっともこの記事はあまり正確でなく霞山の石油も「劇炎」や「黒煙」を生じたらしい。これは明治五年一月の新聞の「ランプの取扱方――東京府の布令」の「石脳油《クソウヅ》ヲ混合タル石炭油ハ火災ヲ醸成候ニ付《つき》、右等ノ分不売出様《うりださぬよう》渡世ノ者ヘモ急度《きっと》（注：必ず）申渡スベク候得ドモ……」という記事にも表れている。

第三は、当時の生活の型、およびそれを基本とする社会では、必ずしもランプが必要でなかったこと。この点については後に和時計のところで詳説するが、おそらくこれが最も大きな理由であろう。

技術は、たとえそれが技術的には完成しても、社会がそれを要請する状態にならない限り、大きく活用されることはない。これは現代のＯＡやロボットでも同じであって、失業者という名の余剰労働力がいくらでもあり、そのため低賃金で人を雇えるなら、ＯＡやロボットを造《つく》ることが技術的に可能でも、社会はそれを要請せず、したがって普及はしない。

さらに故障の多いロボットでは、「気違いくそうず」のように危険である。当時は「さらしくそうず」が同じ位置にあったと見てよいであろう。

江戸時代のシャッター

徳川時代の人間は、だいたいにおいて夜明けとともに起きて働き、日が暮れると休んだ。雨戸を閉めれば家の中はまっ暗であり、そこに最小限の灯火があれば十分という生活の型が出来あがっていた。

和時計はそのために造られたまことに独創的な時計だが、なぜこれが必要だったかは、山口県柳井市《やないし》の古い町家のつくりなどを見てもわかる。今の商店は店を閉める時シャッターを下ろすが、昔は、「ぶちょう」と言われるおもしろい板ばりのシャッターがあった。その構造は、横に走る雨戸を縦にして、柱に溝が切ってあると考えてくだされぱよい。いわば柱と柱の間に、上から下へと三枚の雨戸があるような形である。

このいちばん上ははねあげて、その一端を天井から吊るす。するとここが棚になるから、布団をたたんでここへ上げる。残る二枚を、溝を上へすべらせて抜く。これが開店であり、その逆をすれば閉店、その時、棚から布団を下ろして寝る用意をする、という形になっている。

こういう生活の中に「昼をあざむく」と表現されたランプが入って来るが、その普及は最初はきわめて徐々で、東京のような大都会の富豪や大商店、それに官庁などが主であった。

明治初年の日本製の石油についてはよくわからないことが多いが、外国石油の輸入高を見ると、明治元年百二十一キロ、明治二年百二十二キロ、明治五年で千六百九十一キロである。八年でやっと一万キロを越えるが、これが十九年になると九万五千キロになっている。

そして二十年代になると全国的な広がりを見せ、明治三十年代には各地に電灯がつきはじめたが、明治四十五年になっても東京の街灯の九〇パーセント以上はランプであった。明治はだいたいにおいてランプの時代と言うことが出来るであろう。

手掘りには限度があり、機械掘りに進みたいという意向は比較的早くからあった。明治五年、前記の石坂霞山はアメリカに鑿井《さくせい》（注：穴を掘る）機械を発注した。この綱掘機械、八馬力器械二基は明治六年に到着し、彼はこれを長野県水内郡に一基、尼瀬の海岸に一基据えつけた。

ただ機械掘りについて石坂に知識がなく、雇い入れた外人技師には実は何の知識もない詐欺師同様の人間もいた。そのため石坂の事業は頓挫《とんざ》し、ついに破産するに至った。そして石油は相変わらず土法の手掘りで続けられたわけである。そして土法で掘れるところは、明治二十年頃になるともう掘る場所がないといった感があった。

人類初の「手掘り海底油田」

明治二十一年に内藤久寛《ないとうひさひろ》らによって日本石油株式会社が創立されたが、もう鉱区割込みの余地がないといった状態であった。そこで内藤久寛は、当時は無謀と思われていた海底油田を、実に、手掘りではじめるのである。これは実に世界で最初の海底油田、そしておそらく人類史で唯一の「手掘り海底油田」である。

この点まことに独創的だが、ここにも後述する日本人の独創性の問題点がある。彼は海岸から四、五十メートル先に、維新前の防波堤の残骸が残っていたのを目につけ、ここを埋め立てて手掘りで三坑掘っていき、設立後わずか二ヵ月で、三坑とも採算的出油をみた。その成功についで内藤久寛は海岸の水ぎわでアメリカ式綱掘機による掘削に成功した。

現在その跡に記念碑が立っているが、それによるとこれは明治二十三年のことである。これは深度が手掘りでは想像できないほど深く、この時に日本の石油業は近代的企業の第一歩を踏み出した。そして二号機はすぐに自分の手で造る。これがその後のあらゆる工業にあった行き方、いわば一号機輸入、二号機製造、三号機輸出のはじまりであろう。

もっとも掘っただけではどうにもならない。精製の能率を上げねば採取した原油は溜めておくだけである。そして「らんびき」には限度があった。私の家内の祖父吉田亀太郎《よしだかめたろう》は、後に東北開拓伝道をやった牧師だが、若い頃、石油精製業をやっていたという。

この話を聞いた時「おかしいね、そんなことがどうして出来たのだろう。だいたい祖父の父は貧乏士族、それが維新になって商売をして失敗し、次に鉱山に手を出して一文なしになり、夜逃げ同然に国を出て石巻《いしのまき》から東京に出たはず、それが何で……」と不審に思っていた。

ところが伝記にも、「其《そ》の後私は新潟に移り、一方では石油を製造し又一方では藍《あい》を製造していた」と記されている。現在の石油コンビナートが頭にあると、これはあり得ないことと思われるが、「らんびき」で精製していたのなら、零細企業でも可能である。

いわば三斗入りの大釜に原油を入れ、穴のあいた蓋《ふた》をし、その上に原始的な冷却装置を置いて、下で火を焚《た》くだけである。石油は蒸発して蓋の穴から出、それが冷却装置で冷やされて水滴状になったのを集める。こういう単純な装置なら貧乏士族がはじめても不思議ではない。ただ分溜が不完全で危険なうえ、生産能力はきわめて低い。

さらに問題なのは、需要がランプだけでは重油は使い道がないことである。これが「馬鹿くそうず」の名の起こりだと言う人もいるが精製業者には処分の方法がない。これを投棄すれば農作物に被害を与え、警察から善処を命じられる。ところがこの重油を精製用燃料に使う方法が明治三十年頃発明された。

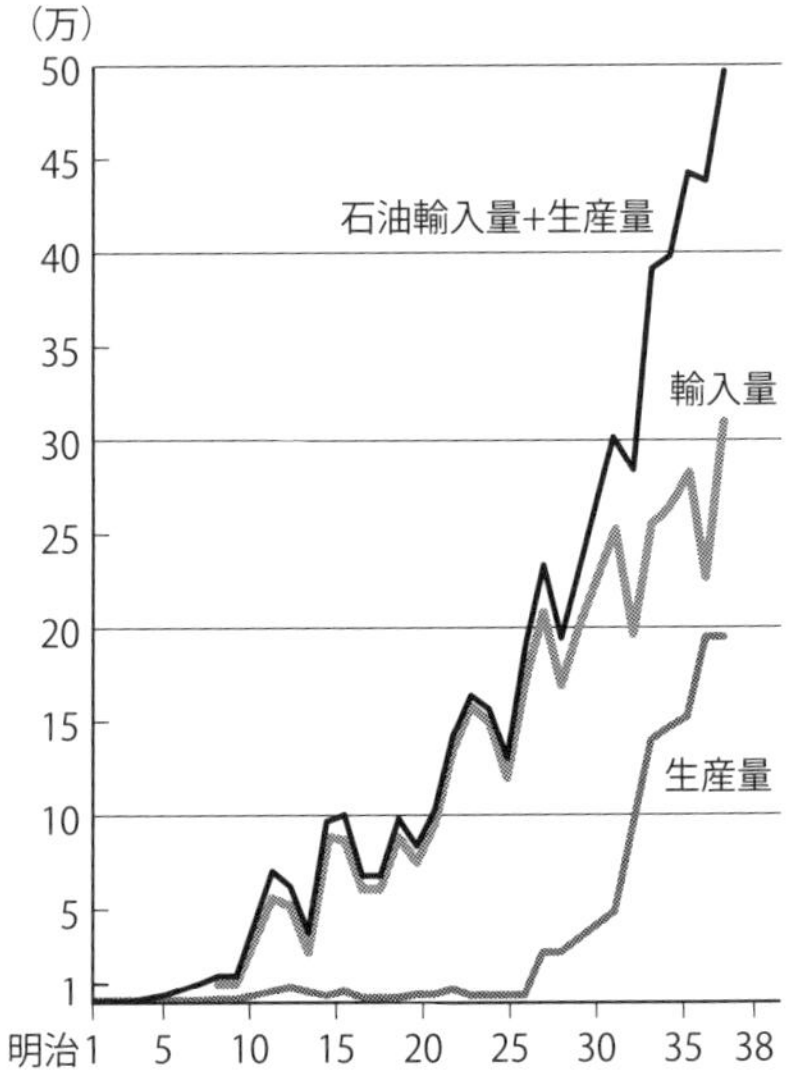

石油輸入量＋生産量（単位kℓ）

これは一石二鳥で燃費が安く同時に棄て場に困るという問題も解決できた。だが煤煙《ばいえん》はものすごく、それが長岡などで問題となり、住民の苦情から新潟県令で差しとめられた。これは公害問題第一号かもしれない。

ところが蒸気で重油を吹かしながら燃焼するとほとんど煤煙が出ないので、この方法を導入することにより問題が解決できた。

明治三十三年、スタンダード石油が日本に進出、新しい精製装置が稼動するようになった（後に日本石油に譲って撤退）。このようにさまざまな経過を経つつ、石油は浸透していった。右のグラフを見、後述する時計のことを思うと、もし資源が豊富なら、外国石油の駆逐《くちく》すなわち石坂霞山の目指した産業的攘夷は可能であったろう。

菜の花が石油を呼ぶ

ランプが普及し石油は生産を増し、流通機構が整備されると、石油はずんずん普及する。いわば相互に相乗的に作用する形でランプ時代へと入っていく。右のグラフに見るように、その転換は明治二十年代だが、そうなると従来の菜種油はどうなっていくのであろう。

古くは斎藤道三《さいとうどうさん》の時代から、菜種油は大きな産業であり、江戸時代を通じて膨大《ぼうだい》な流通機構と販売網があったはずである。さらに農村にとっては、菜種は稲の裏作で重要な収入源、「菜の花や、月は東に、日は西に」（注：与謝蕪村《よさぶそん》の句）で、見わたす限りの菜の花畑は、当時の日本の風物の一つであった。

これは明治初年に来た宣教師の記述にもある。これが一体、どうなっていくのであろうか。菜種産業は、時代に取り残された産業として消えていくのであろうか。

これを調べていけば、現代の、俗に言われる衰退産業を考える場合の、ひとつのヒントが得られるであろう。まず大まかな結論を言えば、企業努力をして新規の需要を開拓しかつ合理化したところは生き残ったが、そうでないものは消え去ったということである。

当時の統計（あまり完備したものではなかったようだが）では、明治元年が約二十六万五千石、それが徐々に低落して明治二十三年は約十八万二千石になっている。灯用の需要は確実に落ちて来た。経営は苦しくなる。伝統的な菜種油の油屋は明治二十年代に潰《つぶ》れたものが非常に多い。

四日市《よっかいち》の熊沢製油（注：現J－オイルミルズ）なども、明治二十三年頃には社長が「もうやめなくては……」などともらしたこともあったという。また、油問屋や小売店は石油も扱うという形で生き延びようとしたところと、頑固に油だけを守ったところがある。

現在のガソリンスタンドも、もとは菜種油の油屋か、その出身だった者が多い。江戸時代から続く名古屋の熊田油店には、「油」「石油」と記した二種のとっくりがあるが、これは双方を売っていた時代の遺品であろう。

徳川時代の油の大集散地は山口県の柳井と三重県の四日市、柳井は瀬戸内海の沿岸に、四日市は「伊勢水」の名で江戸に油を送り、その需要の三分の一をまかなっていた。柳井も四日市も油で栄えた町だが、現在では両市はまったく違っている。

四日市のほうは、あらゆる方向へと企業努力を重ねた。まず新規需要の開拓、すなわち食用と輸出と工業用油への進出である。明治二十年代から食生活がやや向上し、天ぷら、油あげなどの需要が爆発的に伸び、このほうへと積極的に進出した。

また工業用にアメリカ、リバプール、ハンブルグ等に輸出され、また日本でも機械工業が起こって来て、新しい需要が出て来た。これに応じて四日市の熊沢製油では三十九年に機械化を行い、生産量が飛躍的に伸びると、中国やインドから菜種を輸入するようになった。

といっても統計を見ると絶対量は増えていない。明治二十年から大正九年までの間で、明治元年の生産量を越えたのは二ヵ年だけである。したがって機械化によって一工場の生産量が増せば、それをしなかった者は淘汰《とうた》されていく。

そして大正十五年には全生産量のうち灯火用は二〇パーセント、食用と工業用がそれぞれ四〇パーセントになり、昭和十年前後には輸出、食用、工業用がそれぞれ三〇パーセント、灯火用は一〇パーセントになっている。

これで見ると行灯《あんどん》は意外に生き延びており、現在でも灯火用があるが、だいたい神社などのお灯明《とうみょう》用であるという。この外に、菜種油は土蔵の土壁にねりこんだという。だがそういう需要もなくなった。

大正九年から統計はトンに変わるが、だいたい三万トン前後で推移している。昭和になると逆にやや生産量を増し、十年、十一年が五万トンを越え、十五年、十六年は四万トンを越えている。この時期には国策として大増産を命じられたらしい。

当時の機械油はしらしめ油（工業用菜種油）で、それは軍需工場にまわされ、一般人は食用油不足に苦しんでいた。徴用工が、支給されたしらしめ油を秘かに水筒に入れて持ち出し、家に帰って天ぷらを作ったなどという話もあった。これらの油の一部は四日市から積み出されたものであろう。

もちろんすべての物質は不足し、特に「石油の一滴は血の一滴」ですべて軍需にまわり、漁船などは重油不足に苦しんだ。その時、徳川時代のように「坪」からカグマ草で原油をとり、魚と交換したという。

「臭水《くそうず》」石油缶いっぱいで、魚も石油缶にいっぱいだったという。これが封鎖をされた日本の状態であり、現在でも、もし封鎖されれば同じ状態に落ちこむであろう。

石油が最も貴重な軍需品になると、陸軍にも海軍にも燃料廠《しょう》が出来た。海軍は四日市に目をつけた。というのも四日市は製油の町であり、かつ油の積出港であったという実績があったからである。海軍燃料廠がこの地に来て、戦後はその跡に石油会社が進出し、一大石油コンビナートの町となった。まさに「菜の花が石油を呼ぶ」である。

日没とともに眠った時代

だがこの広大な石油コンビナートを見ていると、いずれこれが第二の菜種油になるのではないか、という気もする。もちろん菜種油が今も使われているように石油もずっと使われるであろうが、電気を供給するエネルギーの首座は失うであろう。

現代の電気は形を変えた石油ランプのようなものだが、やがてそのエネルギーは徐々に他に切り替えられていくであろう。明治に見られるように、その変化は一気ではあるまい。

だが明治の歴史で見る限り、日本人は常に、よりよく機能するほうを選んでいる。そしてOAやロボットの導入を見ると、この機能主義とでも言うべき面は少しも変わっていない。

さらに戦時中の封鎖による苦しい生活も、人びとの意識に潜在的に残っているであろう。そこで、エネルギー転換・脱石油・省エネルギーの方向へと進めば、明治の菜種産業のように、石油も、消費の絶対量は増加せず、その中で合理化による生き残り競争になるかもしれない。

ではさまざまな理由で、この変化に対応できなかった町はどうなっていくか。なにしろ消費の絶対量が増えないのに一方が機械化・大量生産を行えば、他方は消滅する以外にない。

前述のように徳川時代には柳井もまた四日市と肩を並べる菜種油の大集散地だった。いや、古くは室町時代から柳井は諸物資の大集散地で「岩国藩の御納戸《おなんど》」としてその繁栄をうたわれた町であった。江戸末期には油問屋が八軒、それが明治に四軒、現在では一軒も残っていない。

今では柳井民俗資料館（注：現商家博物館・むろやの園）となっている小田家もかつては大油問屋、最盛期には五十石から百二十五石の積船を五十艘《そう》もかかえていたというからその規模の大きさがわかる。事実、山陽地方の指折りの油商であった。

その家は表通りから裏の川まで百五十メートルものびる細長い広大な大邸宅である。そして川は、油の積船の運河の役をしていた。邸宅のいちばん古い部分は元禄十四年（一七〇一年）の建築で、藩主が柳井に来た時はこの家に泊まったという。

また昭和五、六年まで油商をしていた国森家の家は重要文化財で、一部は改造されているが大部分は昔のままである。そしてこの付近一帯は白壁の土蔵造りで、時代劇のセットを見るような感じがする。いわば柳井は、昔のまま固定したように残っており、人によっては「観光の穴場」などと言う。

石油の浸透はこの町の油商にも打撃を与えた。もちろん企業努力は行われ、明治の中頃、残った四軒が出資して柳井製油合資会社が出来、ここが一括して製造し、出資者の四軒は卸・小売だけをすることになった。

だが需要は伸びず、市場の開拓もままならぬうちに、国森家を除く他の三軒は石油も扱うようになった。こうなるとやはり菜種油のほうがお留守になるのであろう。製油会社はもうなく、現在では四軒とも油屋を廃業している。

柳井は戦災を受けなかった。それはたいへんに幸運なことだったが、そのため戦後の再開発が遅れた。いちばん大きな問題は、運河に使っている川が浅すぎて今の船にはもう使えないこと。それがそのままになり、臨海工業地としての開発が遅れ、取り残されたことであろう。

だがそのおかげで、昔ながらの家並が残っていて、前に記した戸板のシャッター、すなわち「ぶちょう」がまだ残っている。国森家は表と一部は改造して「ぶちょう」はもうないが、江戸時代の油屋がほぼそのまま残っている。

一階が店、二階が倉庫で、天井に穴があいており、ここから滑車《かっしゃ》で油を一階に下ろすようになっている。国森家の御当主は明治四十四年生まれ、中学生の頃、一斗缶を荷車に積んで、裏の波止場につく船に届けに行った。

国森家の販路は四国方面、主として伊予《いよ》の松山に出荷していたという。多い時は使用人が八人。この人たちも「ぶちょう」を下ろすと布団を敷いて、寝たのであろうか。こういう古い家を見ていると、その頃の町家の生活がある程度、想像できる。

行灯は通常は灯芯が一本だがこれではまことに暗い。明るくする必要がある時は灯芯を三、四本にするが、こうして、うんと近づいても、新聞は非常に読みづらかったという。菜種油は高価であり、灯火に使うとジージーという微音をたてる。この音を聞くとカネが消えていくような気がしたそうである。もちろん、緊急必要な時以外は、灯芯を三、四本などという贅沢《ぜいたく》はできない。行灯ひとつでは何もできず、しかもカネが消えていくような気がするから、早寝が当然とされた。こういう生活にランプが入って来れば「昼をあざむく」と感じて少しも不思議ではない。

だが考えてみれば徳川時代は、ずっとこのような生活を続けていたわけである。そして、それによって生じた生活の型は、そのまま生活規範となって明治にも続いた。もちろん行灯以外にも灯火はあったが、日常の生活に密着しているのは行灯である。

このような生活は簡単に言えば、「日の出とともに起きて働き、日没とともに仕事をやめて寝る」である。現代のように、電灯によって昼を夜へと延長していくことはできない。それは否応《いやおう》なく、「昼」「夜」で行動の仕方を変えねばならないということである。それの変える時刻を知らせるのが「明け六つ」と「暮れ六つ」であった。

では、どのようにしてそれを定めたのか。さらにこの「明け六つ」と「暮れ六つ」の間を六等分し、それが一振刻《とき》で、通常これは「今の二時間で半振刻《とき》が一時間」と簡単に言われるが、季節によってこの時間の長さは変わるはず、いわば夏の昼の一時間は長く、夜は短くなり、冬はその逆になるはずである。

時間の長さが不定だった

こういう時代には今の時計は役に立たない。「もうどれくらいしたら日が暮れるか」がわからねば生活に支障を来たすから、それを教えてくれねば無意味である。もちろん当時は各人が時計を持てる時代ではないから、太鼓《たいこ》などで時報を知らせる。

正午は「九つ振刻《どき》」だから九つ打ち、半振刻《とき》に一つ打ち、次の「八つ振刻《どき》」に八つ打つ、これが「おやつ」の語原だが、こういう方法をとればその地域一帯の人が、その時刻に合わせて生活を規制し、共同で仕事が出来るわけである。だがそれはあくまでも「日の出」「日没」を基準にして「時」を計らなければならない。

こういう時刻の計り方を「不定時法」と言い、現在のように一昼夜を二十四に等分するのを「定時法」と言う。この不定時法は紀元前三千年頃すでにエジプトで行われ、ギリシアからローマに伝わり、それがローマ帝国各地に広がって中世まで用いられた。この期間は約四千年で、人類の長い歴史から見れば、このほうが期間が長い。そしてこの「不定時法」のため最も精密な不思議な時計を作ったのが日本人である。

私は三十年ほど前に山口隆二《やまぐちりゅうじ》氏の『日本の時計——徳川時代の和時計の研究』（日本評

論社）を読み、われながら「日本人とはおもしろい民族だ」と思った。もっとも、おもしろいと思ったのは私だけではない。十八世紀末に四年ほど日本に滞在したオランダ商館長チチングは次のように記している。

「日本の時計の機構は、その両端に小錘《こおもり》を下げて、ピンの上を前後に振動する棒天府《ぼうてんぷ》に重点がある。この時計は小錘を近づけたり、はなしたりして、『昼の時間』と『夜の時間』とを正確に示すことが出来る。私はこの種の時計を長崎奉行《ぶぎょう》の屋敷で、しらべてみた。その構造が実に珍しいので、私は日本からこの時計を持って帰りたいなあと思った。しかし値段があまり高かったためにその喜びは水泡《すいほう》に帰してしまった」と。

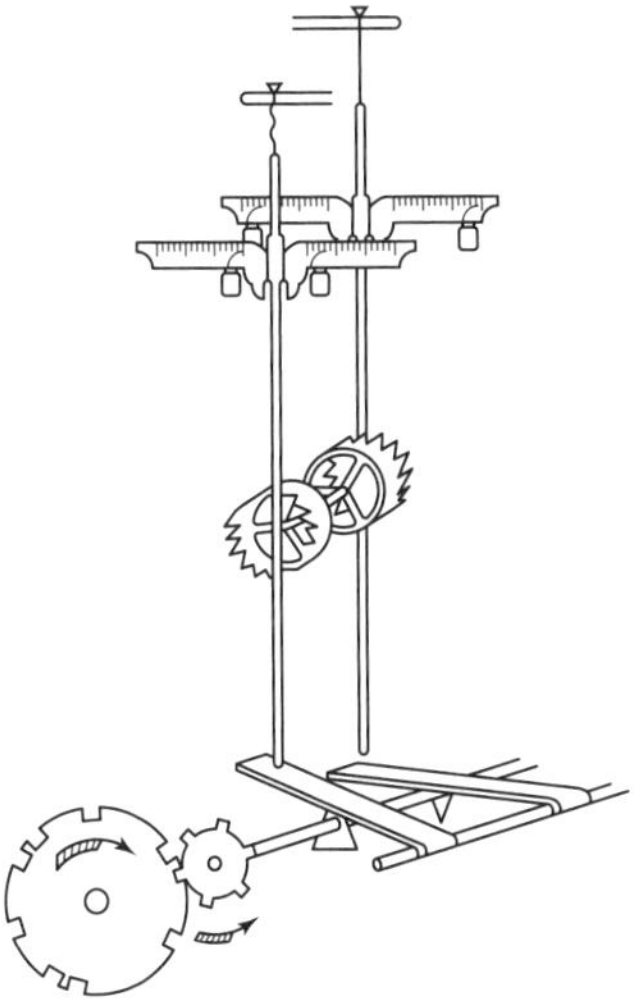

二挺棒天府時計の構造
（『日本の時計』より）

　彼の驚きはおそらく、「漢字の入るコンピューターやワープロ」を見た外国人のような驚きなのである。いわば、コンピューターが外国から来たように、時計もキリシタンの宣教師が持って来た。だが日本人はすぐそれらを、自分の実生活に機能するように作りなおしてしまった。ではその「作りなおし」の基本は何であったのか。

チチングはその特徴は「両端に小錘を下げて、ピンの上を前後に振動する棒天府」にあるとしている。もっとも、棒天府は昔のヨーロッパの時計でもあるから、それ自体は日本人の発明ではない。ただヨーロッパではこれは、時計の針の「進みすぎ」と「遅れ」を調整するためのものだった。

ところが日本人はそれを逆に活用して、夏ならば昼は針が早く「進みすぎ」、夜は「遅れる」ようにし、冬はこの逆になるようにしたわけである。

チチングが見たのがどの時計かわからないが、それが一挺棒天府なら「明《あ》け六《む》つ」と「暮《く》れ六《む》つ」に小錘を移動させる。だがこれがさらに改良され二挺棒天府になると、昼用・夜用の二つの棒天府があって、「明け六つ」「暮れ六つ」に自動的に交替するようになっている。

もちろん時刻とともに鐘をその数だけ打つし、目覚ましもついている。おそらくこういう時計を作り出したのは人類史上、日本人だけであろう。

「これは勤勉時計と言ったほうがいいんじゃないですか」この時計を見て説明を聞いた私の友人は言った。「まるで、日が出たら働け、日が暮れたら寝ろ、と言われているようだ」と。

チチングは「値段があまり高かった」と記している。確かに高かったが、いわゆる「外人相場」を吹っかけられたのであろうとも言う。当時は、一物一価ではないから「大名相場」「外人相場」「民間相場」といろいろあったらしい。

大名は時計師を抱え、六十石から八十石ぐらいの扶持《ふち》を与えていた。もっとも時計師は製造だけでなく、時報係りであり、修理・調整係りでもあった。そして新しく時計を造る時は「実費見積り」をするわけだが、これが相当に「吹っかけ」ており、総経費が百五十両ぐらいになったであろうと山口氏は見ておられる。

これではチチングであれ民間人であれ手が出ない。ただ「民間相場」では寛政の頃、二挺棒天府のもので十三両二分という受取（注：領収書）が残っている。山口氏はだいたいこれが「民間相場」と見ておられるが、これなら富裕な町人は買えたであろう。現に、浮世絵の中にも時計は登場している。

日本にだけあった時計

だが日本人は、この時計をさらに簡略なものにしてしまった。当時の時計は、現代の鳩時計のように重錘《じゅうすい》が動力である。重錘が下がることによって針がまわる。だが考えてみれば針をまわす必要はないわけで、下がる重錘に指針をつけ、その指針が物指しのような縦長の文字盤を指すようにしておけば機構はずっと簡単になる。

これが尺時計で日本独特のもの、デジタル時計が出来るまで、これが、丸い文字盤のない世界で唯一の時計であった。これがはじめは高さが一メートル前後もあったが、後に約三十センチになり、「尺時計」の名はここから起ったものと思われる。

さて、前述のように不定時法の時計は、昼と夜で針の速度を違えたのが特徴で、二挺棒天府ならこれを自動的にやってくれる。だが問題はそれではすまない。季節によって昼夜の長さが違うから、季節調整が必要になる。

だがこれは「日の出」「日没」が基準だから太陰暦《たいいんれき》で行うわけにはいかない。というのは満月から満月までは約二十九日半で、これを「大の月」(三十日)、「小の月」(二十九日)を交互にして十二ヵ月とすると一年が三百五十四日になり、太陽暦との間に三年で約一ヵ

四季	節気名	気節	現行暦上の日付	日の出より日の入りまでの刻数	六つより六つまでの刻数
春	立春	正月節	二月四日頃	昼四十三刻半 夜五十六刻半	昼四十八刻半余 夜五十一刻余
	雨水	正月中	二月十九日頃	昼四十五刻半 夜五十四刻半	昼五十刻半 夜四十九刻半
	啓蟄	二月節	三月六日頃	昼四十七刻半余 夜五十二刻半余	昼五十二刻半余 夜四十七刻余
	春分	二月中	三月二十一日頃	昼五十刻 夜五十刻	昼五十五刻 夜四十五刻
	清明	三月節	四月五日頃	昼五十二刻余 夜四十七刻余	昼五十七刻半 夜四十二刻半
	穀雨	三月中	四月二十日頃	昼五十四刻半 夜四十五刻半	昼五十九刻半余 夜四十刻余
夏	立夏	四月節	五月六日頃	昼五十六刻半 夜四十三刻余	昼六十二刻 夜三十六刻
	小満	四月中	五月二十一日頃	昼五十八刻半 夜四十一刻半	昼六十四刻 夜三十六刻
	芒種	五月節	六月六日頃	昼五十九刻半 夜四十刻半	昼六十五刻余 夜三十四刻半余
	夏至	五月中	六月二十二日頃	昼五十九刻半 夜四十刻余	昼六十五刻半余 夜三十四刻余
	小暑	六月節	七月七日頃	昼五十九刻半 夜四十刻半	昼六十五刻余 夜三十四刻半余
	大暑	六月中	七月二十三日頃	昼五十八刻半 夜四十一刻半余	昼六十四刻 夜三十六刻
秋	立秋	七月節	八月八日頃	昼五十六刻半 夜四十三刻半	昼六十二刻 夜三十八刻
	処暑	七月中	八月二十三日頃	昼五十四刻半 夜四十五刻半	昼五十九刻半余 夜四十刻余
	白露	八月節	九月八日頃	昼五十二刻余 夜四十七刻半余	昼五十七刻半 夜四十二刻半
	秋分	八月中	九月二十三日頃	昼五十刻 夜五十刻	昼五十五刻 夜四十五刻
	寒露	九月節	十月九日頃	昼四十七刻半余 夜五十二刻余	昼五十二刻半余 夜四十七刻余
	霜降	九月中	十月二十四日頃	昼四十五刻半 夜五十四刻半	昼五十刻半 夜四十九刻半
冬	立冬	十月節	十一月八日頃	昼四十三刻半 夜五十六刻半	昼四十八刻半余 夜五十一刻余
	小雪	十月中	十一月二十三日頃	昼四十一刻半余 夜五十六刻余	昼四十七刻 夜五十三刻
	大雪	十一月節	十二月七日頃	昼四十刻半 夜五十八刻半余	昼四十五刻 夜五十四刻
	冬至	十一月中	十二月二十二日頃	昼四十刻余 夜五十九刻半余	昼四十五刻半余 夜五十四刻半余
	小寒	十二月節	一月六日頃	昼四十刻半 夜五十九刻半	昼四十六刻 夜五十四刻
	大寒	十二月中	一月二十日頃	昼四十一刻半余 夜五十八刻余	昼四十七刻 夜五十三刻

二十四節表（『日本の時計』より）

月の差を生ずる。

これでは農業に不便なので太陽暦を併用した。いわば徳川時代は陰陽暦で「陽」のほうが「二十四節」これは黄道《こうどう》を二十四等分し、立春を「正月節」としてここを起点とし、一ヵ月をほぼ二等分した。そして一日を百等分し、これを「刻」と言った。

昼夜同じ五十刻になるのは春分と秋分のはずだが、実際の「六つ」では昼が五十五刻で夜が四十五刻である。これは日が入ってもしばらく明るいからであり、時計の昼夜がほぼ同時間になるのが「正月中」（二月十九日頃）と「九月中」（十月二十四日頃）で、この時はともに昼五十刻半、夜四十九刻半となっている。したがって時計の季節修正は半月に一度やればよいわけである。

これは相当に面倒なことである。二挺棒天府で昼夜は自動的に交替させても、季節による修正は、棒天府に下げた小錘を移動させて行わねばならない。だが面倒なことは簡略化し機能化するのが日本人の特徴だから、おもしろい方法でこれを簡略化した。

それは一七七ページ「二十四節表」の節気に応じて文字盤を替えるという発想である。この方法にとって最も便利なのが尺時計であった。はじめは割駒式と言って文字盤の文字を移動させた。

だがそれは少々面倒なので、文字盤を節気ごとにかけかえるという方法になった。これを節板《せつばん》と言い、「二十四節表」の節気名「芒種《ぼうしゅ》」と「立秋」などが記されているから、「二十四節表」を見ながらかけかえればよい。

この節板は裏表が六枚、表のみが一枚の七枚セットになっており、尺時計を買えばこの七枚セットも渡された。なぜ七枚ですむかというと、「二十四節表」のように「小満」「大暑」はともに昼六十四刻、夜三十六刻だから、この節板には両方が記されているからである。そして裏返せば次の節気になるようになっていた。これなら、和時計のことを知らない現代人にもすぐに使えるであろう。

だが改良はさらに進んだ。節板を取り替えるのが面倒となればこれを全部一枚に入れてしまえばよい。これが「波形板」で一八〇ページの図のようになっていた。説明するまでもないが、下がってくる分銅の指針の位置を左右に動かせるようになっており、それを動かして節気に合わせればよいのである。これこそまさに、世界に類例がない時計、また類例がない文字盤であろう。

このような時計で生活していた徳川時代の生活の型は、柳井の古い町中にいると、ある程度は頭の中で再現できる。

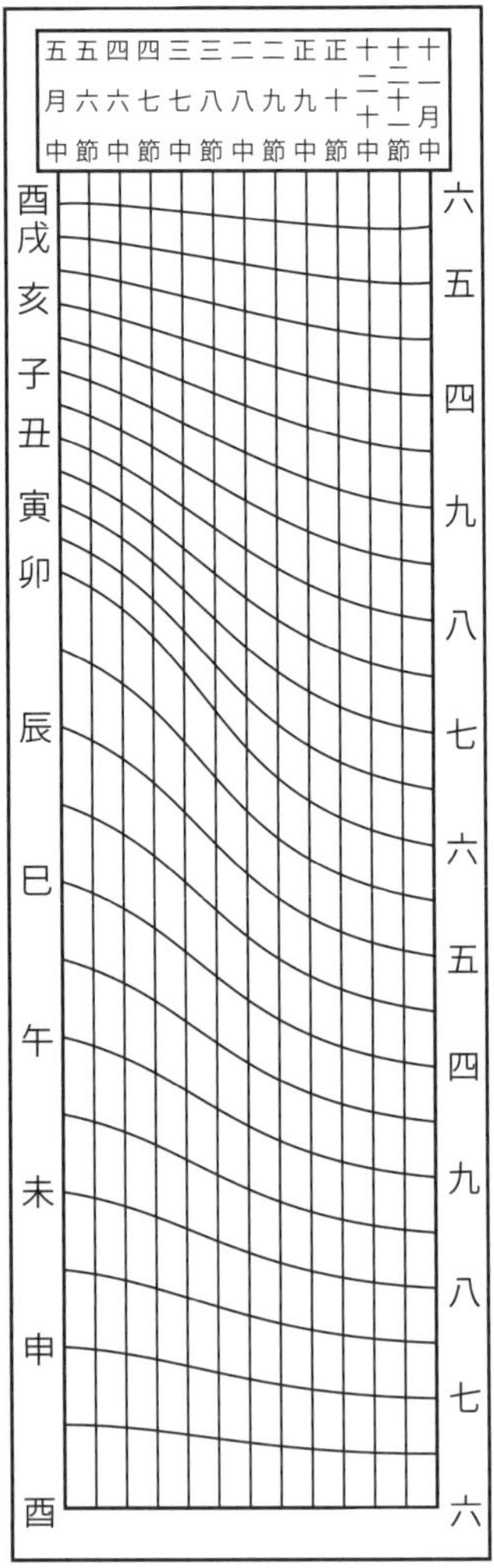

波形板（『日本の時計』より）

人びとは太陰暦を使い、同時に太陽暦で時計を修正し、それによる「明け六つ」「暮れ六つ」で生活の区切りをつけた。城中では時計師が時報の太鼓を打ち、時計のある富裕な町家では自分の時計をそれに合わせたであろう。

では城中の時計は何で修正したのであろう。大名時計博物館の上口等氏は、日時計で正確に午《うま》の刻すなわち正午を定め、これを基にして修正したのであろうと言われる。

グリニッジ標準時などはなく、また人びとの生活はそれぞれの地方に限定されていたから、その範囲内で時間が同じならばそれでよかったものと思われる。

定時法・太陽暦へ

だがこれは明治になるとさまざまな問題を生ずる。交渉相手の外国は定時法で太陽暦、日本は不定時法で太陰暦ではさまざまな支障が生ずる。といってこれを勝手に変えられては支障が生ずる。もっともランプが急速に普及して「昼をあざむく」となれば定時法になって不便ではない。

さらに二十四節があるのだから、「時計の修正の一年」を一年とすれば、それもあまり不便ではないであろう。したがって明治が徐々に定時法・太陽暦へと進んでも不思議ではない。だがその改正はあまりに急激かつ唐突に行われたため、一時的には問題を生じた。

しかし、大勢はやはり定時法・太陽暦の方向へ進んでいた。明治五年十二月三日を明治六年一月とした暦の改正については、さまざまな記述があるが、この時、不定時法も廃止されたことに言及しているものは、私の知る限りではほとんどない。

もっとも民間では、政令によって太陰暦も不定時法も一気になくなったわけではなく、山口氏によれば最後の和時計は明治二十二年に作られ、これで終わりとなっている。

おもしろいことにこの時期は、石油の進出で多くの油屋が消えていったか、後に持ちなおしても一時は廃業を決心した時期と同じである。だがここでまず、明治五年十一月の新聞記事を読んでみよう。

「断乎《だんこ》太陰暦を廃して陽暦採用・改暦の詔書下る／明治五年十二月三日を以て——明治六年一月一日と定められる」

「改暦詔書／朕惟《ちんおも》フニ、我国通行ノ暦タル、太陰ノ朔望《さくぼう》（注：一日と十五日）ヲ以テ月ヲ立テ、太陽ノ躔度《てんど》（注：十日）ニ合《あわ》ス、故ニ二三年間必ズ閏月《うるうづき》ヲ置カザルヲ得ズ、置閏《ちじゅん》ノ前後時ニ季候ノ早晩アリ、終《つい》ニ推歩ノ差ヲ生ズルニ至ル、殊ニ中下段ニ掲ル所ノ如キハ率《おおむ》ネ妄誕《もうたん》（注：でたらめ）無稽ニ属シ、人知ノ開達ヲ妨ルモノ少シトセズ、蓋《けだ》シ太陽暦ハ太陽ノ躔度ニ従テ月ヲ立ツ、日子多少ノ異アリト雖《いえど》モ、季候早晩ノ変ナク、四歳毎ニ一日ノ閏ヲ置き、七千年ノ後僅ニ一日ノ差ヲ生ズルニ過ギズ、之ヲ太陰暦ニ比スレバ、最モ精密ニシテ其便不便モ固《もと》ヨリ論ヲ俟《ま》タザルナリ、依テ自今《いまより》旧暦ヲ廃シ、太陽暦ヲ用ヒ天下永世之ヲ遵行《じゅんこう》セシメン、百官有司《ひゃっかんゆうし》（注：すべての役人）ソレ斯旨《しし》ヲ体《てい》セヨ。（後略）

一、今般太陰暦ヲ廃シ、太陽暦御頒行《はんこう》相ナリ候ニ付、来ル十二月三日ヲ以テ明治六年一月一日トサダメラレ候事。但《ただし》新暦鏤板《るはん》（注：印刷のため文字を彫った板木《はんぎ》）出来次第頒布《はんぷ》候事。

一、一ケ年三百六十五日十二ケ月ニ分ケ、四年毎《ごと》ニ一日ノ閏《じゅん》ヲ置《おく》候事。

一、時刻ノ儀是迄《これまで》昼夜長短ニ随ヒ十二時ニ相分《あいわか》チ候処、今後改メテ時辰儀《じしんぎ》（注：時計）時刻昼夜半分二十四時定メ、子刻《ねのこく》（夜中の十二時）ヨリ午刻《うまのこく》迄ヲ十二時ト分チ、午前幾時ト称シ、午刻ヨリ子刻迄ヲ十二時ニ分チ、午後幾時ト称シ候事。

一、時鐘《じしょう》（注：時刻を知らせる鐘《かね》）ノ儀来《きた》ル一月一日ヨリ右時刻ニ可改事《あらためるべきこと》。（以下略）」

そして最後に「午前・一時、子《ね》半刻《はんごく》／・二時、丑《うし》刻／・三時、丑半刻……」のようにして、新しい時刻の呼び方を記している。

われわれはこれを当然と思うようになってしまったので、九ツ（午）、八ツ（未）、七ツ（申）という形で、いわば九八七六五四と進む時刻が、今では不思議な気がする。

改暦は給料を払わないため

日本はいずれこの方向に進んで不思議ではないわけだが、それにしてもこの改正はあまりに唐突であった。

誰でも少々不審に思われるのが「但新暦鏤板出来次第頒布候事」である。というのは十一月となれば来年の暦は旧暦ですでに出来あがっている。だがそれは使えない。そして一月近く繰り上げて六年一月一日が来る。

それは新年が二十二日後にせまったということだが、まだ新暦の配布の準備が出来ていないということである。今でもこんなことをやられ、「繰りあげて新年を一ヵ月近く早くします。来年用カレンダーはすべて使えません。新しいカレンダーはまだ出来ていません」などと言われれば、たいへんなことになるであろう。

こういうことは元来、前々年ぐらいに発表してPRし、同時に新しいカレンダーも配布しておかねばおかしい。いずれそうなるのが当然ということは、こういう無茶をしてよろしいということではない。

なんでこんなことが起こったのであろう。多くの人は政府の財政困難を指摘する。ではなぜ財政困難が唐突な太陽暦・定時法採用理由になるのであろうか。謎は明治政府が陰暦のまま月給制を採用したことにある。

「日本は月給の国」と言われるぐらい戦後は月給が定着したが、これも明治からである。武士の禄《ろく》は年俸であり、単純労働者は日当すなわち日給、その他多くは盆暮であった。戦後にも和歌山県の奥などの山林労働者の支払いは盆暮であった。

もっとも毎月「工数《くすう》」(働いた日数)が山主や管理人に出される。そして必要なもの全部、村で一軒の「何でも屋」で「ツケ」で買って盆暮に清算するという方式だった。もっともほとんどが半農であり、薯《いも》、陸稲、野菜は自給していた。

このほうが伝統が長い。そしてこれなら陰暦で構わない。だが明治政府が陰暦のまま月給制にすると、三年に一度の閏月には一ヵ月余分に月給を払わねばならぬことになる。明治六年は閏年《うるうどし》で一ヵ月余分、ところが十二月三日を一月一日にして陽暦にすれば、その年の十二月はわずか二日だから月給は払わず、翌年は閏月でなくなるからここでも月給を払わないですむ。いわば合計二ヵ月分が助かるというわけである。

はじめはみんなが十一月末と十二月二日に月給がもらえるつもりで喜んだが、喜べたのは「契約」のあるお傭い外国人だけであった。こういったやり方は当然に問題を生じたが、太陽暦・定時法への移行は動かなかった。

妙な言い方をすれば「月給制が太陽暦への移行を早めた」ということになるであろう。そして月給は徐々に日本に定着していった。ただ戦前はまだ「月給とり」と言えば広い意味のホワイトカラーのサラリーマンであった。

月給の支払い日は官公庁では十五日、会社員は二十五日かその少し前が普通だが、なぜこのように決まったかは明らかではない。ただ戦前は、米屋、魚屋、肉屋、炭屋などは

「ツケ」で、これを月末に支払うのが普通だった。そこで月末の少し前に月給を払うという形に落ち着いたものと思われる。

戦後はそれが徐々に社会全体に広がり、同時に月末の「ツケ」がなくなって現金払いが当然になったが、電気、ガス、電話、新聞代等は今でも月末払いが当然であり、年払いとか盆暮払いはない。こうしてみると、明治における月給制の採用は、新しい生活の型を生み出したと思われる。

世界を制覇する芽

だが唐突な太陽暦・定時法の採用は、暦を印刷して売る者に損害を与え、時計師を苦境に追いこんだ。特に藩お抱えで八十石をいただき、新規の注文には「大名値段」を吹っかけ得るような位置にいた者は、廃藩置県で禄を失い、自己の技術を生かして生活していく道も絶たれたわけである。

もちろん民間の徳川時代的な生活の型は一挙に変化したわけでなく、不定時法時計は前述のように明治二十二年まで造られていたとはいえ、スポンサーを失い、また先細りは免れない。

彼らも生きていくためさまざまな努力をした。まず和時計で定時法の時計を造ることを試みた。この転換が最も簡単に出来たのが「尺時計」である。いわば節板や波形板をやめて、定時法の物指型文字盤をつければよいわけで、これは比較的簡単である。

事実、そのような「定時法尺時計」はもちろん、他の時計も定時法に改造され、これらも多く残っている。前記の山口氏は「和時計を新しい時刻法に適応して改造乃至《ないし》制作することは容易であった」と記されているが、複雑なものを単純にするのだから、確かにそう言える。

だがいかに時計師が努力しても、菜種油が石油に勝てないように、和時計はアメリカ製ボンボン時計には勝てなかった。

山口氏は、廃滅の理由の第一は定時法の採用と前記のスポンサーの壊滅だが、その外に次の二つの理由があるとされる。

「第二に彼らが手工業的に生産する和時計はたとえ美術工芸品としてどのように高い価値があろうとも、アメリカの大量生産による低廉なボンボン時計には、とても価格の上で対抗することはできなかった。また正確度においても旧式の冠形《かんむりがた》脱進機（注：調節機）の和時計は近代的な錨形《いかりがた》脱進機のアメリカ製ボンボン時計の敵ではなかった。第三に世を挙げて文明開化を謳歌《おうか》した明治初年の日本の社会では仮に価格と正確度とにおいて和時計がボンボン時計に比して優《すぐ》れていたとしても人々は和時計を古風なものとして顧《かえり》みず、洋製時辰儀《じしんぎ》、すなわちアメリカ製ボンボン時計に赴《おもむ》いたであろう」と。

アメリカ製ボンボン時計は太平洋を越えて続々日本に入って来た。なにしろ定時法時計のなかった国が定時法を採用したのだから、需要が旺盛である。これはまさに日本の市場を独占しようとしていた。

当時の光景を見た人に、最後の和時計ができた明治二十二年（一八八九年）から一世紀足らずで日本の時計が世界を制覇《せいは》するであろうと言っても、絶対に信用しなかったであろう。だが人の見えぬところで、後年の大時計産業はすでに芽を出していた。

失業した時計師とその下職《したしょく》たちは、時計で「飯を食っていく」以外に方法がない。彼らは時計商となり、外国製時計を販売修理する傍《かたわ》ら時計製作所を設立し、あるいはその経営に参加した。これを可能にしたのは彼らの持つ抜群の技術と当時の低廉《ていれん》な賃金であった。

「万能選手」の創造力

またこの技術転換を速《すみ》やかに行うため、新しい知識と技術を提供出来る人もいた。幕末にすでに幕府暦局（注：天文方）御用時計師大野《おおの》規周《のりちか》が、航海用クロノメーターや測量機械の製作技術習得のため、オランダに留学していた。文久二年（一八六二年）のことである。

前にも記したように徳川時代がすでに太陰暦と太陽暦併用、また定時法と不定時法の併用であり、民間は不定時法だが、暦局や暦学家は定時法を使っていた。天文学を使い、黄道を二十四等分して節気を正確に決めるには、太陽暦と定時法が必要である。

幕府暦局にいた大野規周には、技術さえ学べばすぐこれを役立て得る基礎があった。その彼が維新後は大阪造幣寮《ぞうへいりょう》で働き、日本の精密機械産業に貢献しただけでなく、時計製作所を設立して多くの技術者を養成した。これはほんの一例で、似た例は他にもある。

もっとも工場は貧弱で現在の零細企業並みだが、時計師は元来万能選手、一人で時計を造りあげる能力を持っていたから、この規模でもすぐアメリカのボンボン時計に対抗できた。おもしろいことに、新しい時計産業が起こった地は、かつての和時計手工業の中心地であった。そして日清戦争後には、アメリカ製が十四、五円、日本製は四、五円であった。

これでアメリカ製ボンボン時計を完全に国内から駆逐《くちく》し、たちまち中国、インド、南洋方面に輸出するようになった。この時すでに、戦後の日本の時計の世界制覇は決定づけられていた。

コンピューター時代、ロボット時代にわれわれ日本人はどういう行き方をするか、否、すべきか。過去の行き方と現代の行き方を対比して、自らの歴史の中でその長所と短所を把握すべきであろう。

まず輸入された技術を自己の生活と密着した方向に改造する。これは自己の生活の型と伝来の技術との習合という形で行われるのが特徴であろう。石油が来れば昔の井戸掘りでこれを開発し、「らんびき」を用いてすぐに精製をはじめる。また時計が来れば、自らの生活の型に適合するように、不定時法時計を造ってしまう。

キリシタン時代に日本にも中国にも時計が来た。日本人は和時計へと進んだが、中国人は、中国の生活の型に適合した中国時計を造ったわけではなかった。こういうおもしろい創造力があるとともに、それに携《たずさ》わる人間は「万能選手」であった。

「モダン・タイムス」の終わり

「ウーム、これは時計師の工場だ」私は埼玉県下の小さな工場、農器具の部品の下請工場を見た時そう思った。この工場にはさまざまな機械が十一台あり、いちばん多い時は従業員六名、それがロボット一台入れることによって、なんと親戚の従業員一名になってしまった。現在では社長一、親戚の従業員一、忙しい時には、普段は家事の傍ら帳面をつけている奥さんが、従業員に早がわりする。俗に言う典型的な「三チャン工場」である。

ロボット導入で、六人が一人になったから、単純計算すればこのロボットは五人分の仕事をしているわけだが、さまざまに修正して少なく見積もっても三人分はしている。だが果たしてそんなことが可能なのか。外国では不可能であろうが、日本では可能なのである。なぜであろうか。

ここの社長さんが万能選手で、熔接《ようせつ》もやればプレスもやり、旋盤《せんばん》もやるからである。私が時計師の工場を連想したのは、いわば、造りあげる物は一人でも造りあげられるという「万能選手」をそこに見たからであった。

プレス工はプレスだけ、熔接工は熔接だけ、旋盤工は旋盤だけの世界では、六人を一人にすることはできない。したがってロボット導入が与える影響は、日本と外国では違うであろう。

この工場は、ロボットが入ったといっても一台で、全部が自動化しているわけではない。そしてそのロボットも熔接すべき部分を人間の手で装着してスイッチを押さない限り働かない。しかもその前に人間の手で仮熔接が必要なのである。

それでなぜ六人が一人になるのか。機械の多くは自動機械である。パイプの自動切断機や切削機械はセットしておけば一定時間、単純な作業を自動的に行う。社長さんはそれをセットすると、ロボットの前に仮熔接した部品二つをセットしてスイッチを入れる。二つの熔接が終わるまでロボットは自動的に複雑な工程を熔接しつづける。その間社長さんは、旋盤をまわして仕上げをしている。

いわばロボットが働いている間に、あるいは自動機械をセットし、あるいは旋盤で仕上げ、時にはプレスを動かす。いわば機械から機械へと動きつつ、全部がなるべく能率的に進むように、段取りを見ながら必要なものをセットし、必要なものを操作している。

私はそれを見て思った。「なるほど、これが明治以来の、否、徳川時代以来の、日本人のやり方なのだ。このやり方でボンボン時計を駆逐し、さらに輸出に転ずることが可能だったのだな」と。

明治の時計工場も、現代の農器具下請工場も、この点では変わりがないなら、これはすべての業種について言えることであろう。事実、石井《いしい》威望《たけもち》氏（システム工学者。東京大学名誉教授）によるとこの方式をとる大企業が増加しているという。そして働く者も、一日中コンベアの前で単純作業をしているよりも、このほうがはるかに楽であるという。

日本の工場はすでに「モダン・タイムス」を脱皮しつつある。この点を無視した議論は見当はずれだが、それは、ロボット導入に基づくこの行き方に問題がないということではない。

「ロボットを入れて、どんな点がよかったですか」という私の問いに、社長さんは次のように答えた。

「まあ人使いの面倒さがなくなったことだな。忙しい時に残業を頼んでも、やってくれないこともある。みな家庭の事情もあるからな。だがロボットが入れば平気さ。自分が夜中まで働きゃいいんだから」。社長さんは勤勉を少しも苦にしていない。人だのみのほうがいやなのである。「また、閑《ひま》な時は自分が休んでりゃいい。だから受注に無理しなくなった。そうなりゃ叩かれることもない。また閑な時は納期がずっと先の仕事をぽつぽつやっとけばいいから、納期でも無理しないですむし……」と。

生産性は向上し、叩かれる心配はなく、納期に無理をしないですむなら、これは理想的状態であろう。

「和コンピューター」の導入

中小零細企業のコンピューター導入にも同じことが言える。コンピューターを入れてオペレーターを雇っていたのでは意味がない。自社に適合するソフトを入れてもらったら、後は万能選手的に、手のあいている者が片手間に操作する。しかしそれによって一人分以上の事務処理ができてしまう。

それが可能なのは、コンピューターが漢字とカナという、日々の生活の型に密着したものに改良されたからである。これは和時計ならぬ「和コンピューター」であろう。そしてこれが大企業となれば、ペーパーレス事務所や無人化工場も当然に可能であろう。

以上のような方向に日本が進むことは明治を考えれば不思議ではない。というのは石油を精製し、太陰暦を太陽暦にかえ、不定時法を定時法にした後は、電信、鉄道、製糸、セメントと一瀉千里《いっしゃせんり》である。

もちろんすべてがすぐうまくいったわけでなく、電信などは「途中故障の際は郵便で中継」である。故障が多く苦情が絶えなかったので予《あらかじ》めこの旨を知らせている。だがそれでも飛脚よりは機能する。

このように、よりよく機能すると思われたものは、ランプから電信まで何でも導入し、またお雇い外国人として外人を有効に使う。だが、外国人そのものは受け入れようとしなかった。いわば、外人はあくまでも「ガイジン」であって、この点では明治のはじめも現代も、本質的にはあまり変わらない攘夷的資質がある。

次に掲げるのは明治七年五月十二日の新聞だが、確かに見当はずれのことも言っているが、今と変わらぬ日本人の一面が表れていておもしろい。

「横浜新聞ニ曰《いわ》ク、日本ニテハ無用ノ費ヲ散ジ四年ノ歳月ヲ尽シテ鉄路ヲ作レリ。其《その》長サ少《ワズ》カニ英国里数ノ廿五里ニ過ギズシテ、其《その》工モ亦《また》見ルニ足ラザルナリ。其他電線ノ架スル者アレド、其工拙ナキヲ以テ、輒《ちょう》スレバ（注：簡単に）切断シ、常ニ之ヲ修繕セザル無キ能《あた》ハズ。然ルニ或ハ之ヲ過称シ（注：むやみに誉め）、頗《すこぶ》ル吾人ヲシテ日本政府ヲ信ゼザルニ至ラシム、又何ノ妄ナルヤ。今《いま》日本ノ外国ト交接スル所以、及ビ互易ノ景況ヲ見ルニ大ニ此言ト反シ、日ニ其悪シキニ就ク者ノ如シ。支那ニ至リテハ、大ニ日本ト異ナリ、其国官人ノ失錯固《もと》ヨリ其ノ多キモ、亦日本官人ノ如ク、奇ヲ追ヒ、新ヲ好ミ、独リ朝令暮改、民ヲシテ其向フ所ヲ失ハザラシムルノミナラズ、其国力ヲ計ラズ、妄《みだ》リニ大業ヲ企テ、民人ヲ駆ツテ水火ノ中ニ投ズル如キハ、稍《や》ヤ少ナシトス。此レ支那ノ商業日ニ盛ンナルヲ致シ、日本、日ニ衰敗ニ赴クガ如ク、更ニ進ム能ハザル所以ナリ。嗚呼《ああ》何ゾ日本独リ過《あやま》ルノ甚《はなはだ》シキヤ、且《か》ツ夫《そ》レ支那ニ於テハ「コンシル」（注：領事官、外交官）ヨリ得《え》シ所ノ往来券アラシムレバ、則チ外国人ヲシテ内地ニ往来スル自由ナラシムルニ、日本ニテハ、外国人ノ内地ニ行キ、二十五里ヲ越レバ、之ヲ捕縛ス。此ヲ以テ日本ノ情実ヲ察スルニ、蓋《けだ》シ其国内治マラズシテ、外国ノ交際ニ就キ、大《おおい》ニ其ノ怯《きょう》スル（注：おびえる）所アルニ似タルニ非ズヤ。既ニ往《ゆ》キシ六月間、日本ニテ書載セシ外国交際ノ法ハ、頗ル外国人ト親睦スルニ似タリシニ、今日ニ及ンテハ、既ニソノ言フ所ト大ニ逕庭《けいてい》ス（注：へだたりがある）、故ニ智アル人ハ、皆日本ニ於テ其失望セルヲ嘆ズルノミナラズ、欧洲中皆其反異セルヲ（注：そむいていることを）訟《うった》フ云々、以下略ス」

日本のコンピューターは和時計

中国との対比は、ある面では少々見当はずれで、建設を〝行き過ぎ〟と断定することも、長い目で見れば誤りであろう。だが、それだけ西欧のものを導入し、さらに「外国人ト親《しん》睦《ぼく》スル」「外国交際ノ法」を公表しながら、実際は彼らを受けつけようとしない、そこで非難が生ずるのは、現在にも通ずる点があるであろう。これはひとつの問題点である。

さらにもうひとつの問題点は、徳川時代において、自己の生活に適応できるような、世界に類例のない独創的な和時計、二挺棒天府の自動交替や尺時計の波形文字板などを発明しながら、時計そのものについては根本的・独創的な発明がなかったことである。

それは基本的にはキリシタン宣教師が持って来た時のままであった。いわば独創はすべて自己の生活の型に適合させて最もよく機能させる方向にのみ進んでいる。

このことをコンピューターの専門家に話したところ、「それじゃ、今の日本のコンピューターはまさに和時計ですな」と言われた。

なぜ和時計なのか。その人の説明ではコンピューターの「言語」は今も「英語」であり、ただ出口と入口が日本語に転換できるようになっているだけで、日本語のコンピューターの「言語」はないという。基本は変わらないがそれを巧《たく》みに自己の生活の型に適合させてしまうところが和時計的で、この点ではやはり独創的であるという。

もちろんこれらは、一面、継承すべき立派な伝統であろう。和時計はできたが中国時計はできなかったことは象徴的である。だがこれからはそれだけでなく、「時計そのものへの根本的・独創的創造」の方向に進むことも、常に考慮しておくべきで、これは単にコンピューターだけでなく、すべてについて言えることであろう。

戦前は阿南惟幾《あなみこれちか》陸相の切腹で終わった。忠誠の対象は変わった。それ以後、産業面では、明治元年の白虎隊切腹の後のようなすばやい方向転換で、産業国家日本への道を驀進《ばくしん》している。

ここでわれわれは明治の成功と失敗のあとをたどり、それを参考に将来の方向を定めるべき時が来ていると思う。

【初出：「文藝春秋」一九八三年三月号】

本書は各章末にある初出原稿を再構成し、句読点を加える、注（注：＊＊）をつける等の新編集をしています。また本書には、今日の人権擁護の見地に照らして、不当、不適切と思われる表現がありますが、本書の性質や作品発表時の時代背景に鑑み一部を改めるにとどめました。（編集部）

著者略歴

一九二一年、東京都に生まれる。一九四二年、青山学院高等商業学部を卒業。野砲少尉としてマニラで戦い、捕虜となる。戦後、山本書店を創設し、聖書学関係の出版に携わる。一九七〇年、イザヤ・ベンダサン名で出版した『日本人とユダヤ人』が三〇〇万部のベストセラーに。以後、「日本人論」で社会に大きな影響を与えてきた。その日本文化と社会を分析する独自の論考は「山本学」と称される。評論家。山本書店店主。一九九一年、逝去。

著書には『「空気」の研究』『私の中の日本軍』（以上、文藝春秋）、『日本はなぜ敗れるのか』（KADOKAWA）、『帝王学』（日本経済新聞出版）、『論語の読み方』（祥伝社）、『なぜ日本は変われないのか』『日本人には何が欠けているのか』『日本はなぜ外交で負けるのか』『戦争責任と靖国問題』『精神と世間と虚偽』『戦争責任は何処《どこ》に誰にあるか』『池田大作と日本人の宗教心』『渋沢栄一　日本の経営哲学を確立した男』『新聞の運命』（以上、さくら舎）などがある。

日《に》本《ほん》型《がた》組《そ》織《しき》　存《そん》続《ぞく》の条《じょう》件《けん》

二〇二〇年六月一一日　第一刷発行

著者　山本七平《やまもとしちへい》

発行者　古屋信吾

発行所　株式会社さくら舎　http://www.sakurasha.com

東京都千代田区富士見一-二-一一　〒一〇二-〇〇七一

電話　営業　〇三-五二一一-六五三三　ＦＡＸ　〇三-五二一一-六四八一

編集　〇三-五二一一-六四八〇

振替　〇〇一九〇-八-四〇二〇六〇

装丁　石間　淳

編集協力　山田尚道・渡部陽司・柴田暸（以上「山本七平先生を囲む会」）

印刷・製本　中央精版印刷株式会社

ISBN978-4-86581-251-0

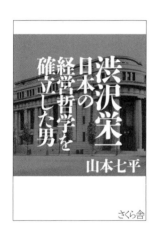